אלכס ליבק

צילומים

הארץ
שלנו

משרד הביטחון — ההוצאה לאור / כרמל · ירושלים

הארץ שלנו

צילומים:
אלכס ליבק
עיצוב והפקה:
חוה מרדכוביץ

מנהל הייצור:
אריק בן-שלום
סריקות ולוחות:
שקף-אור בע"מ
הדפסה:
דפוס מאירי בע"מ, חולון

שם הספר ומספר צילומים בו — באדיבות עיתון "הארץ"

כל הצילומים בספר זה מקוריים.

מסת"ב ISBN 965-05-1052-4

פתח דבר – מאת אלכס ליבק

דווקא בארץ בה התרבות כל-כך מוחצנת, הרחוב כל-כך פתוח, קומוניקטיבי ועמוס בסימנים ובסמלים חברתיים, אין כמעט צלמים שמסתובבים ככה סתם ומצלמים את היומיומי. כולם רוצים לצלם את ההיסטוריה, את מנהיגי העולם, את הכוכבים ואת הזיקוקים. צילום רחוב או צילום תעודי כבר מזמן יצאו מהאופנה. "הצילום שלך פאסה," אמרה לי לפני כמה שנים אוצרת צילום צעירה במוזיאון חשוב, "כבר לא מצלמים ככה." לעצמי חשבתי שכל עוד בני-האדם אינם פאסה גם צילום הרחוב הישיר, הקונבנציונלי, הקלאסי, עדיין תקף.

בעיני, צילום ישיר של המציאות טומן בחובו אמירה יסודית שאין לחלוק עליה: הנצחת הרגע החולף, תיעוד הקיים לפני שהוא עובר מן העולם. מנקודת המוצא הזו מוזמן הצלם לצאת החוצה לרחוב ולצלם כראות עיניו. תיאטרון הרחוב מוצג לפנינו עשרים וארבע שעות ביממה. על הצלם לפענח אותו ולהקפיא חלקים זעירים על-פי שיקוליו, לחזור למעבדה, לפתח את הסרטים ולהדפיס תמונות בתהליך של שחזור המציאות. בעצם הוא יוצר מחדש את העולם שלו לפי בחירתו, מצרף תמונה לתמונה בדרך להרכבת פאזל ענק של המציאות דרך עיניו של הצלם.

נדירים הם צילומי הרחוב שבתוכם מגולמת אבן-דרך היסטורית, כמו למשל תצלומו של אדי אדמס משנת 1969, שבו נראה גנרל וייטנמי המוציא להורג ביריית אקדח איש וייטקונג באמצע היום ברחוב בסייגון. זה תיעוד חד-פעמי של רגע מזעזע במציאות בלתי ניסבלת, שממנו מבעבעים הרשע, חוסר הצדק, התיעוב וזילות של החיים שיש בכל מלחמה. בתצלום שזכה בפרס פוליצר אין אסתטיקה, אין קומפוזיציה, אבל לעוצמתו התיעודית והסמלית אין שיעור.

יש צילומי רחוב נפלאים אחרים, כמו של יוזף קודלקה, צלם צ׳כי שהתמקד תקופה ארוכה בחיי הצוענים באירופה. צילומיו, ביופיים הנדיר, בשלמותם האסתטית ובהתרחשויות שהם מתעדים מביאים אל המתבונן עולם אחר, קסום, כמעט אגדתי. אבל זאת לא אגדה, אלא מציאות, וכאן טמונה העוצמה. אין זו הזיה פרי דימיונו של הצלם שצולמה בסטודיו, נוצרה בעזרת תוכנת מחשב או באיזושהי מניפולציה טכנולוגית אחרת. זוהי תמונה של משהו שהתרחש באמת.

התצלומים בספר הזה אינם תצלומים של התרחשויות היסטוריות. הם אינם מתרכזים סביב נושא מסוים אחד. המצולמים הם אנשים אנונימים, השותפים להתרחשויות בנאליות, שכולן יחד משקפות את פניה האנתרופולוגיים של החברה שלנו. זהו תיעוד של "לא ארועים", תמונות רחוב יומיומיות של רגעים שנשלפו מתוך הזרם הבלתי פוסק של החיים. כיוון שאלה תצלומים מהירים, לא מתוכננים, לפעמים זמן התרחשותם זהה לאורך חשיפתם במצלמה. לפיכך רבים מהם אינם שלמים מבחינת הקומפוזיציה, אינם בהכרח אסתטיים, אבל כולם אומרים משהו אותנטי על הזמן והמקום שלנו.

לא התיימרתי לעשות ניסיון שיטתי ומאורגן לצלם את החברה הישראלית. מטבעי אני לא אדם מסודר וההתבוננות שלי היא אינסטינקטיבית. הדחף שלי לצלם הוא כפייתי: ראיתי משהו שעורר אותי – אני חייב לצלם אותו. אני לא יכול אחרת. התרחשויות "שוות צילום" שקרו מול עיני ולא הצלחתי לצלמן מסיבה כלשהי מתסכלות ורודפות אותי ימים ארוכים. כל חיי הבוגרים אני משוטט ברחובות, כצייד בשדה הציד, מחפש בלי הרף את הצילום הבא. אני מאמין שככל שתהליך השיטוט והחיפוש מפרך יותר, כך ייטב מזלי. אני יודע שלמזל יש תפקיד מרכזי בזרם הבלתי נדלה, המשעמם לכאורה, של החיים שבתוכם אני חולף.

אני לא מצלם הרבה. אני רואה את הדברים כמתוך מסננת. הבחירה של הרגע המסוים היא שלי. אני נהנה מהצילום, הוא מכריח אותי להתבונן גם בדברים השוליים. יש סיטואציות נפלאות שפוטנציאל הצילום שבהן הוא אדיר והתמונות ממש קופצות לעין, אבל רוב הצילומים מושגים בעמל רב ובעבודת נמלים. הייתי רוצה שכל התצלומים יהיו נפלאים, בעלי משמעות היסטורית, חברתית, אנתרופולוגית. אבל רק מעטות מגיעות למעמד הזה. הרבה פעמים התוצאה כוללת סתם אנקדוטות, שעשועים ויזואליים, חיבורים של שברי מציאות שבדרך-כלל אינם מתחברים יחד, חלקם מורכבים, חלקם פשוטים. אבל תמיד הם מספרים משהו עלינו.

לצילום התיעודי יש גם ערך מוסף אחר: נקודת מבטו האישית של הצלם. לא די במצלמה שתוצב בפינת רחוב ותצלם כל חמש שניות באקראי את מה שחולף על פניה. חייב לצאת משהו מתוך נשמתו של הצלם, מוחו, אישיותו, תמונת העולם הפרטית שלו. אין שני צלמים שיראו התרחשות אחת באותו אופן, וגם הספר הזה משקף את זווית הראייה הפרטית שלי.

הקדמה – מאת דניאל בן סימון

באחד הימים של קיץ 1999 באנו לביקור עיתונאי בבית-שאן, אני ככתב, אלכס כצלם. חום כבד רבץ על העיירה והרחובות היו כמעט שוממים. בבחירות לכנסת שהתקיימו חודש לפני כן, זכתה ש"ס ביותר מ-40% מקולות התושבים. באין רואה נהפכה העיירה לאחד המאחזים החזקים של ש"ס בישראל. פיני קבלו, ראש העיר ממפלגת העבודה ואיש חילוני בהווייתו, נאלץ לשנות את דרכיו כדי להתאים עצמו למציאות החדשה. הוא חדל לנסוע בשבת והחל פוקד את בית-הכנסת. לפתע, תוך שיחה על ההתחרדות שהעמיקה שורשים ביישובו, שחרר חיוך קטן. קבלו, מתקשה לעצור את התלהבותו, לחש לאוזנינו שהשנה לא עומדים להיסגר גנים עירוניים ובתי-ספר ממלכתיים, כפי שנסגרו בשנים הקודמות. "יכול להיות שיש תקווה לבית-שאן," בישר כאילו בישר על סוד כמוס.

כעבור כמה שעות הגענו לביתו של המקובל יחיאל לסרי. תושבים יעצו לנו לפקוד את ביתו כדי לדעת את סוד כוחה של החזרה בתשובה שסחפה אחריה כה רבים מתושבי העיירה בשנים האחרונות. המקובל ישב על כיסא בפתח ביתו וקרא מתוך ספר תהלים. גילו המופלג הכהה את מאור עיניו והחריש כמעט לחלוטין את אוזניו. בנו, אשר, המשמש ראש המועצה הדתית במקום, צרח לתוך אוזנו ששני עיתונאים באו לראותו. "מה אני אעשה אתם?" שאל האב בערבית מרוקאית. "תברך אותם," דרש הבן.

המקובל הניח את ידו על ראשי ובירך אותי לבריאות ואריכות ימים. לאחר מכן הניח את ידו על ראשו של אלכס ובירך אותו. הבן אמר לנו שאשרינו על שזכינו לברכה מפיו של המקובל, על אף ששום עיתונאי לפנינו לא שם את ראשו בין ידיו. "מכל הארץ באים עשרות אלפי יהודים כדי לקבל את הברכה של הרב. זו סגולה שתלווה אתכם," אמר.

בשלב מסוים החל אלכס מגלה אי-שקט. אנחנו קרבים לסוף היום והתמונה בה"א הידיעה אינה עדיין בידיו. היכן לצלם את התמונה שעשויה לשקף את המאבק על הצביון התרבותי שמתנהל בבית-שאן? איך מפענחים את תמונת המציאות האמיתית שתעניק ערך מוסף לטקסט הנלווה? האם להתמקד במלחמה על שמירת החינוך הממלכתי ביישוב? האם להתמקד בהתחרדות המעמיקה? האם לתאר את המהפכים שהתחוללו בחיי היישוב באמצעות תצלומו של המקובל הקשיש? או אולי צריך להתרכז באותם תושבים חילונים מודאגים שתיארו את מאבקם בצבעי מלחמה וסיפרו לנו שהם לא יניחו לחרדים להשתלט על חייהם?

אז מה התמונה הנכונה? הדילמה הזאת ליוותה ועדיין מלווה אותנו בכל מסעותינו העיתונאיים ברחבי הארץ. כי סיפורה של ישראל החדשה הוא סיפורו של מאבק בעיצומו. יש שיגדירו אותו מאבק אידיאולוגי, ויש שיתארו אותו כמאבק תרבותי. יש גם מי שיאמרו שמדובר במאבק קיומי שניטש בין הישראלים בארצם. וכוונתם לא לסכסוך בטחוני בין ישראל לשכנותיה אלא לסכסוך הפנימי ששינה בעשורים האחרונים את אופיה של ישראל, מחברה הרמונית לכאורה לחברה משוסעת ומצולקת.

לאן שפנינו, גילינו שסעים. ביקרנו בקריית-גת ומצאנו עיר שמסמלת את השינוי הדמוגרפי שהתחולל בישראל עם בואם של מיליון עולים מארצות חבר-העמים. באנו לסקר מערכת בחירות על ראשות העיר ונקלענו לסכסוך חריף שפילג בין עולים חדשים לעולים ותיקים. יוצאי חבר-העמים ועולי צפון-אפריקה משנות החמישים נערכו לבחירות כאילו זה היה קרב לחיים ולמוות. הוותיקים סיפרו שלקח להם שנים רבות לבסס את מעמדם, והנה באִבחה פתאומית התארגנו העולים החדשים כדי לגזול מהם את פרי עמלם. החדשים גוללו, בנימה של תדהמה, את עוינותם היוקדת של הוותיקים כלפיהם. התברר שהוותיקים התארגנו סביב מועמד לראשות העיר והחדשים התקבצו סביב מועמד מקרבם. הוותיקים פירשו זאת ככפיות טובה, החדשים ראו בכך זכות דמוקרטית שאין טבעית ממנה. ברגע האחרון נמצאה פשרה שמנעה עימות בין הקבוצות: מועמדם של העולים החדשים נאות להתחלק בשלטון תוך ויתור על המרוץ. "אם לא הייתי עושה את זה, זה היה נגמר בשפיכות דמים," סיפר אלכס וכסלר, העולה החדש שתכנן לכבוש את השלטון בעיר.

ביקרנו בטייבה, העיר הערבית הגדולה בישראל, וגילינו אזרחים ערבים זועמים ומנוכרים. כך גם בנצרת ובכפר קאסם. מצאנו תוגה, קדרות ובייחוד אכזבה של אנשים שחשים שהמדינה הפנתה להם עורף משום היותם ערבים. רצינו לשאול על ההקצנה ברחוב הערבי ותחת להשיב, הוליכו אותנו לרחובות הלא סלולים, לכבישים ההרוסים, לביוב הזורם באין מפריע במרכז היישוב, לכיתות הצפופות, לבתי-הספר הרעועים, למובטלים חסרי התקווה. אולי היו נאיבים, אולי טיפחו תקוות שווא, אבל הערבים הישראלים ציפו שנאמנותם לחברה שהם חיים בה תקרב אותם אל סף השוויון המיוחל. זה לא קרה. הם הביעו תרעומת מוצדקת, היהודים פירשו את תחושותיהם כהקצנה לאומנית.

ביקרנו ביישובי עולים בדרום הארץ. פגשנו עולים מאתיופיה ועולים מרוסיה ועולים מהרפובליקות המוסלמיות וגם עולים ותיקים שחשו שישראליותם לא מלאה. כל עולה ייבא עמו את שפתו ואת

מנהגיו מארץ הולדתו. הם נאבקו במלוא כוחם בניסיון להשתלב בחברה ישראלית שאיבדה מעט מחמלתה כלפי החדשים והחלשים. האתיופים רוכזו בשכונות הומוגניות והעולים האחרים נדחסו בשכונות סגורות. לא תמיד על-פי רצונם. בשנות החמישים חתרה המדינה להשיל את המטען הגלותי שהעולים הביאו עמם, בהיותו זר לרוח הישראלית. עתה השתנו הנורמות והעולים הורשו לשמר את מנהגיהם עד יחלוף זעם.

על אף הנטייה הסקטוריאלית שפיעמה בהם, שמענו את כמיהתם של העולים להתקבל כחברים מלאים בחברה הישראלית. ההורים דיברו רוסית, אתיופית, בוכרית, אבל ילדיהם כבר חשו בארצם החדשה כבביתם ודיברו עברית עדכנית.

במרבית המקומות שביקרנו בהם פגשנו ישראלים שכאבו את המתחים הפנימיים שמפלחים את החברה. חברי הקיבוצים התקשו להשלים עם ירידת השפעתם ותהו בקול אם הקורבן שנדרשו לשלם למען ביצור המדינה לא היה לשווא, ותיקי הארץ דיברו בערגה על הימים ההם שבהם חשו גאווה על ישראליותם והתהלכו בראש מורם. אלה וגם אלה חשו שמפעל חייהם נקלע לסכנה. מעליהם ריחף חשש שמא התרופפה תחושת השליחות הראשונית שאיחדה בין תושבי הארץ. והכאב לא היה מנת חלקם בלבד. תושבי הצפון נקרעו בין שאיפתם לשלום עם המדינות השכנות ובין אי-הוודאות מהיום שאחרי. המתנחלים בשטחים חשו שהאדמה שעליה התיישבו רועדת מתחת לבתיהם והם נקלעו למציאות חיים חדשה שלא ידעו כמותה מאז מלחמת ששת-הימים. לאלה וגם לאלה היה ברור שהגיעו ימים של הכרעות שעשויות לקבוע את גורלה של המדינה, ובאותה נשימה לעצב את דמותה של החברה הישראלית בעידן של שלום.

ולאן שפנינו, אלכס ואני, מצאנו אנשים שרצו לשתף אותנו בכאבם האישי. הבאנו את סיפורם מדי שבוע כדי שישמש עדות לקראת פתיחת המערכה על עיצוב אופיה של החברה. היו סיפורים עם סוף אופטימי והיו סיפורים עם סוף פסימי. אבל אצל כל המספרים פיעמה תקווה משותפת, שיבוא יום ויהיה טוב לתושבי הארץ הזאת. לא מגיע להם?

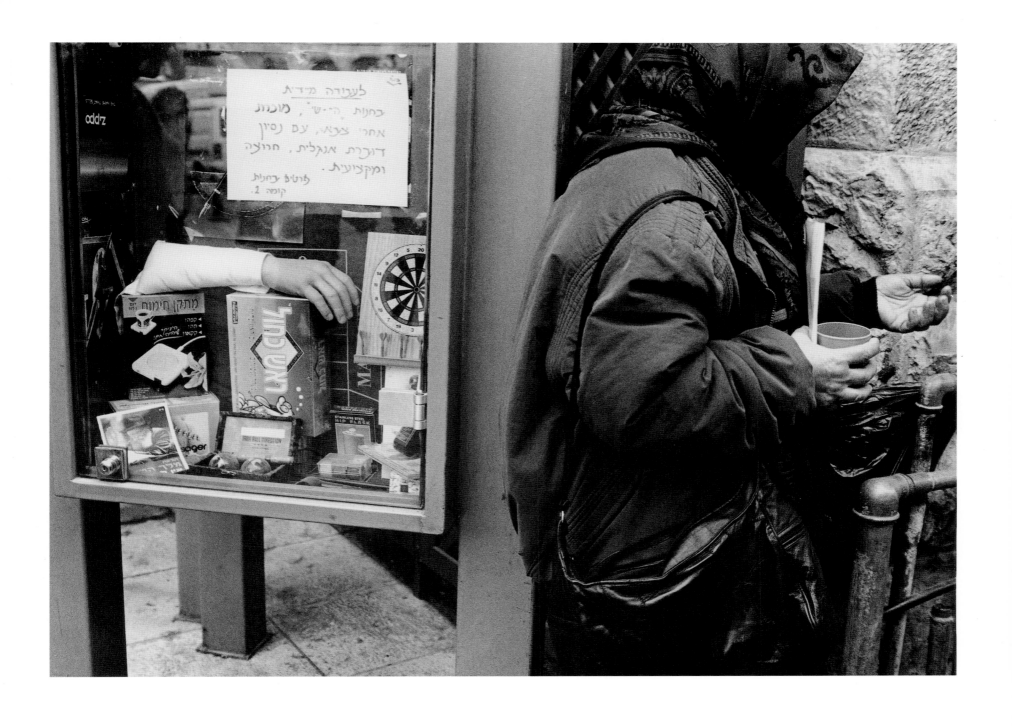

Jerusalem, 1992 ,ירושלים

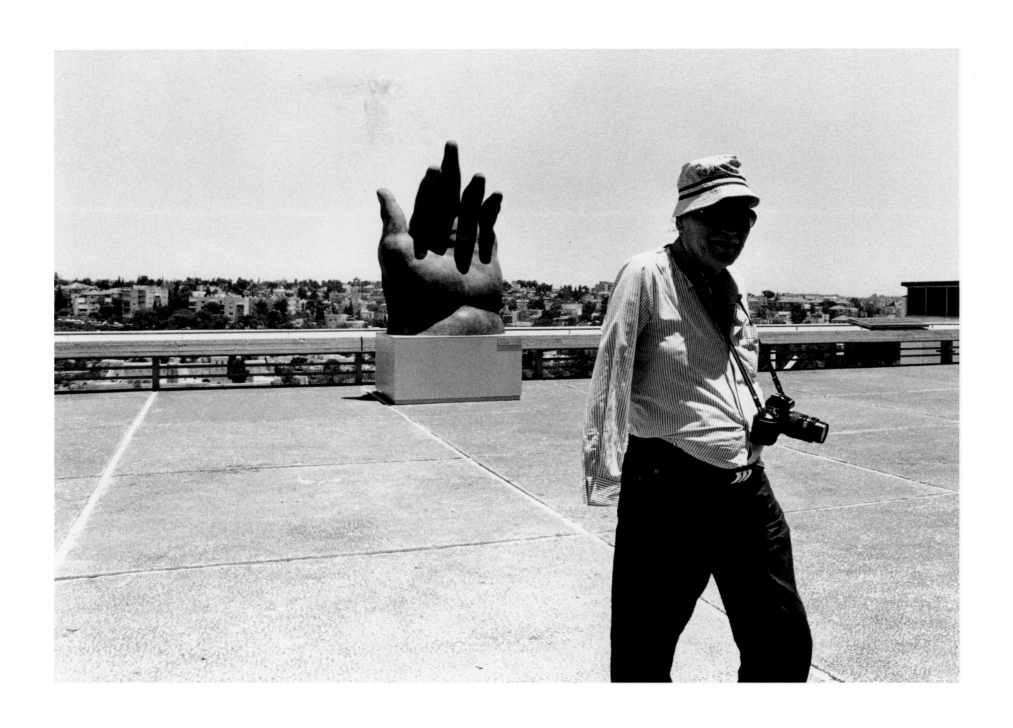

Jerusalem, 1995 ,ירושלים

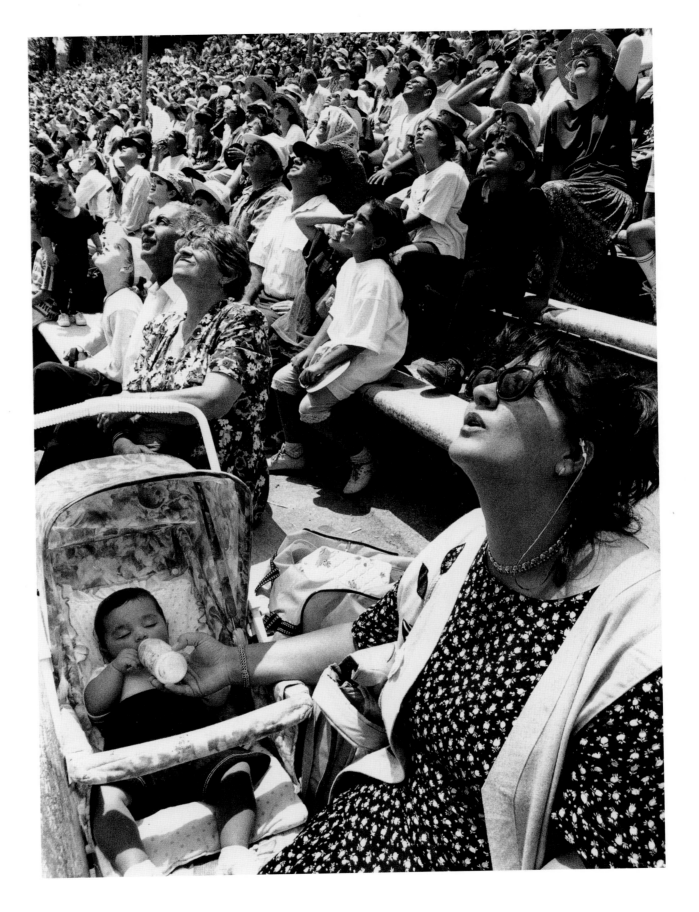

Jerusalem, 1992 ,ירושלים

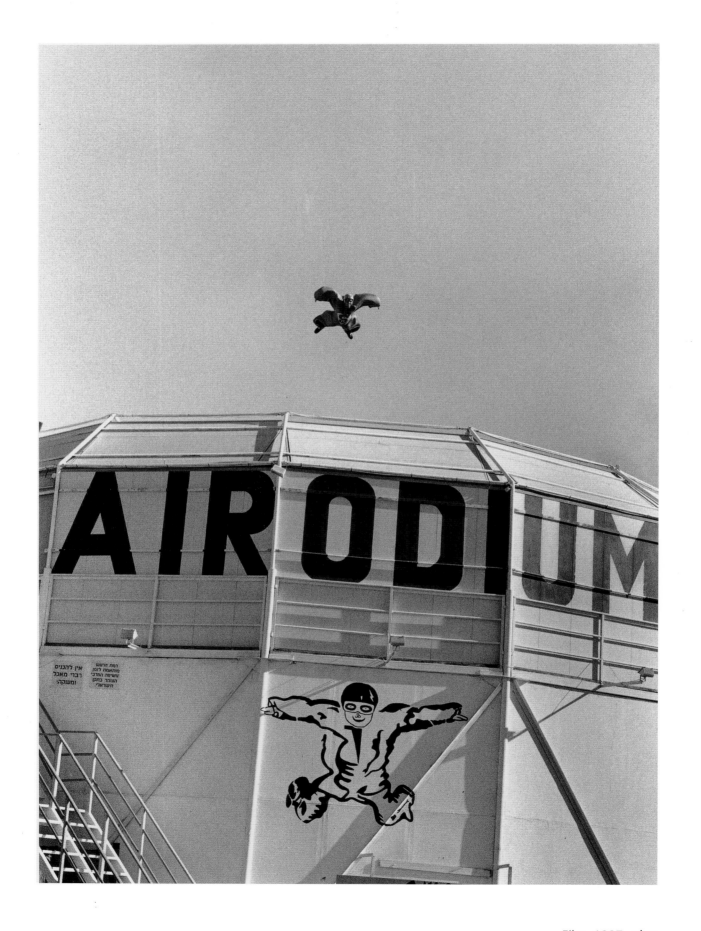

אילת, 1997 ,Eilat

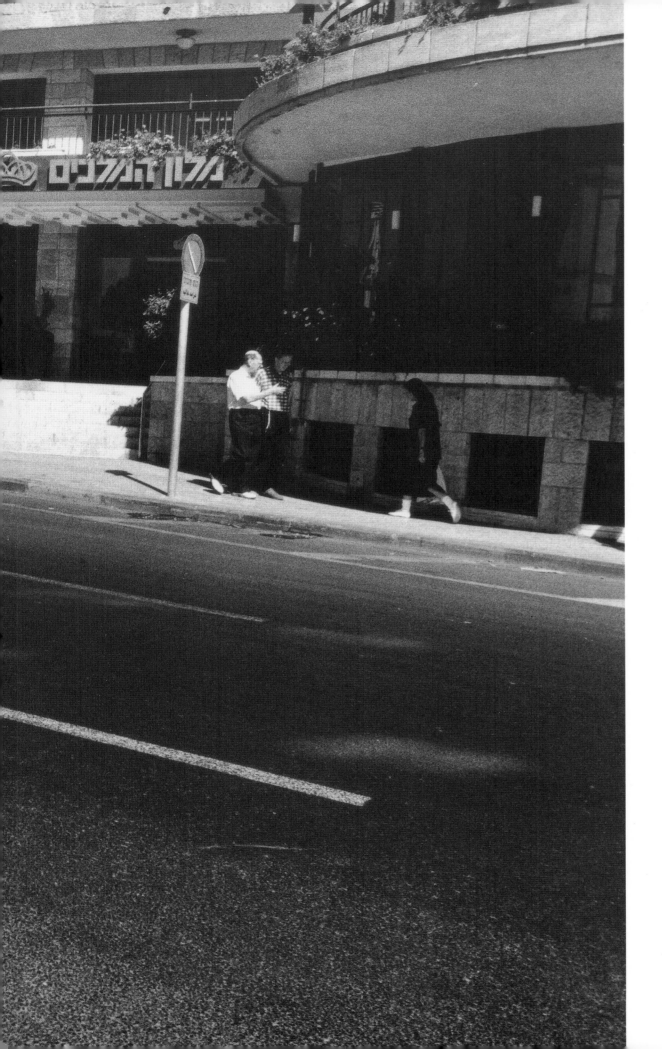

Jerusalem, 1996 ירושלים,

KINGS HOT

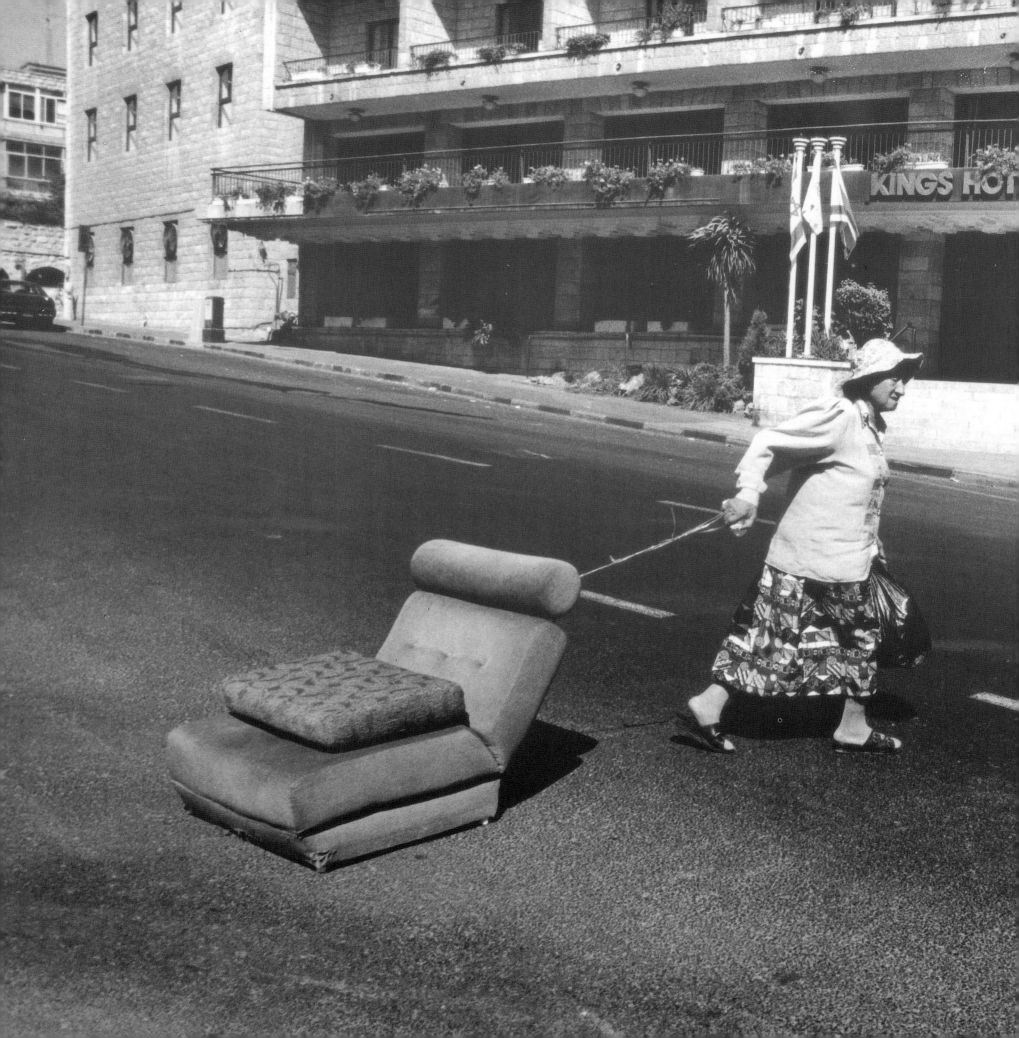

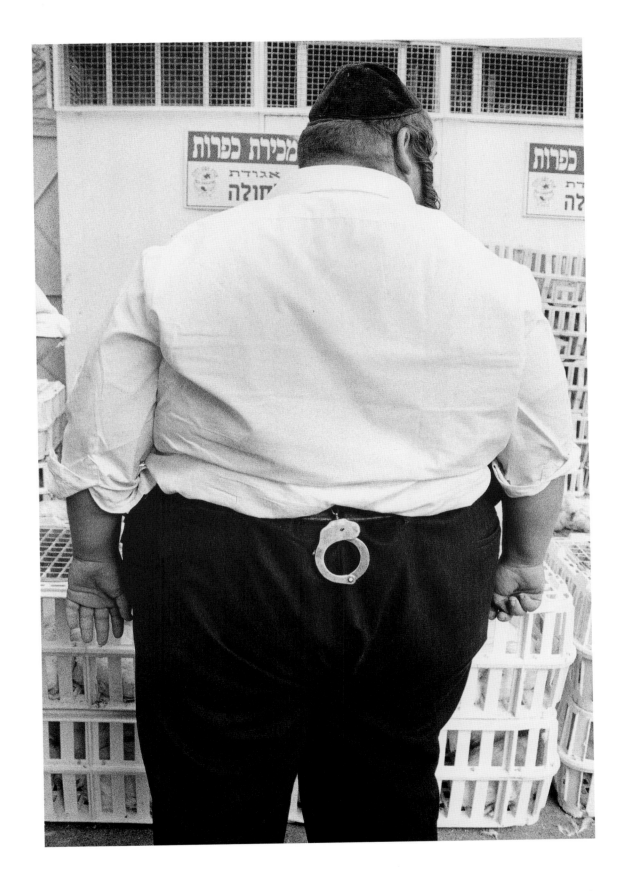

Above: Jerusalem, 1998 למעלה: ירושלים,

Opposite: Tel Aviv, 1998 ממול: תל-אביב,

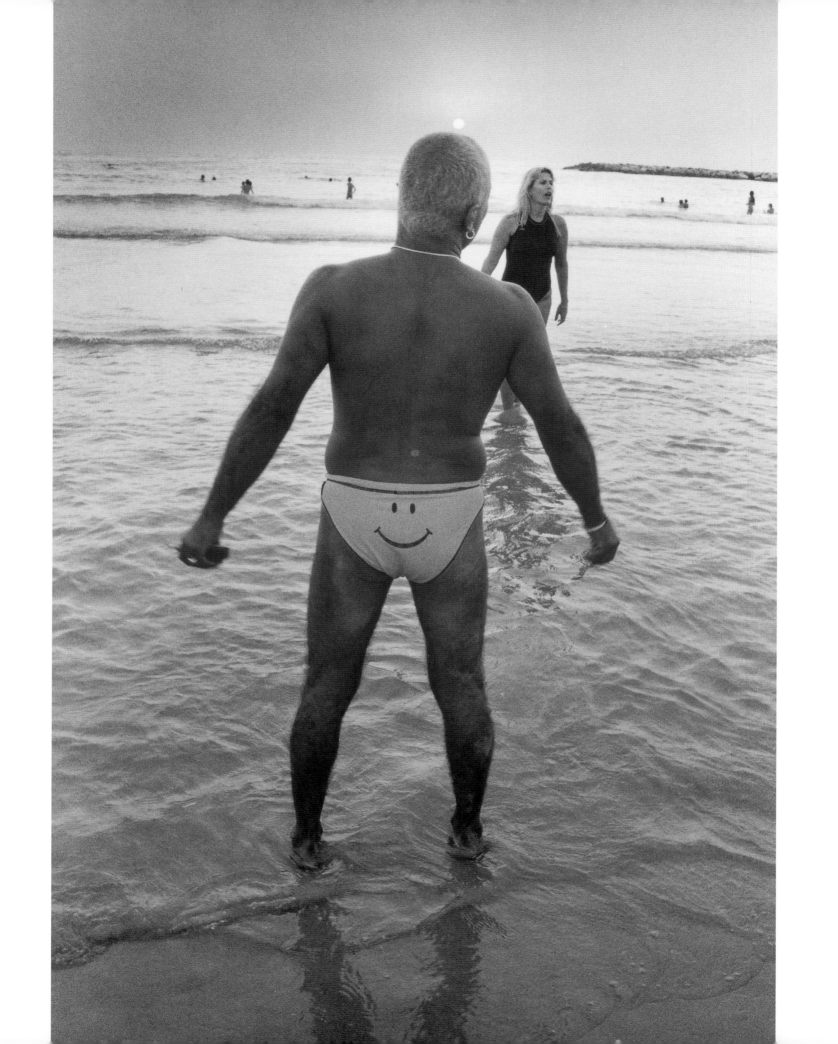

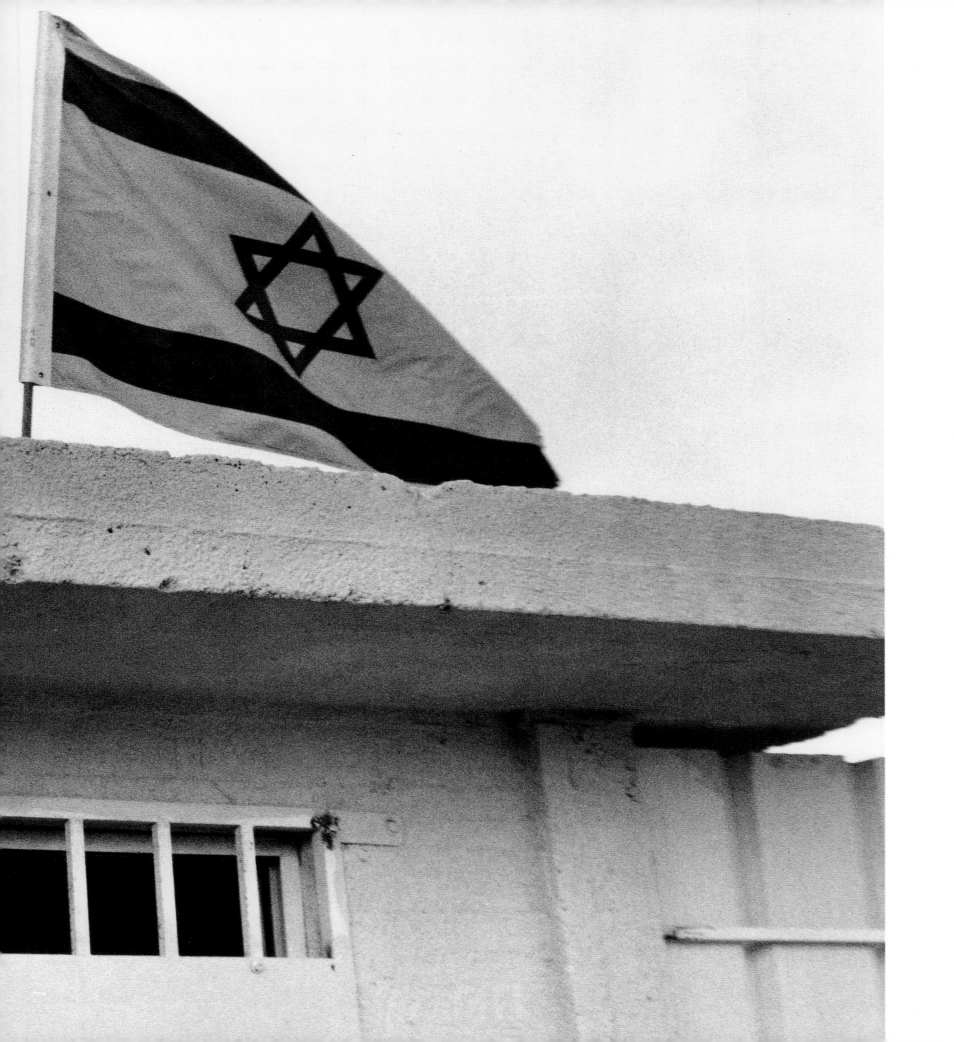

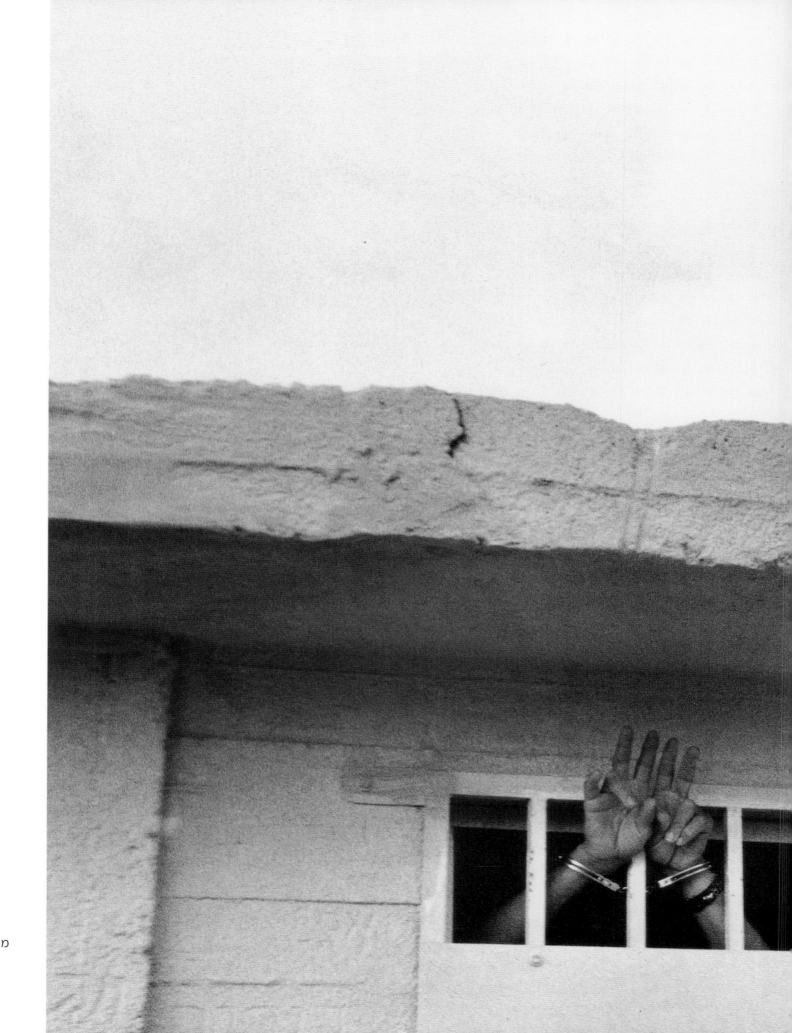

Erez check point, 1998, מחסום ארז

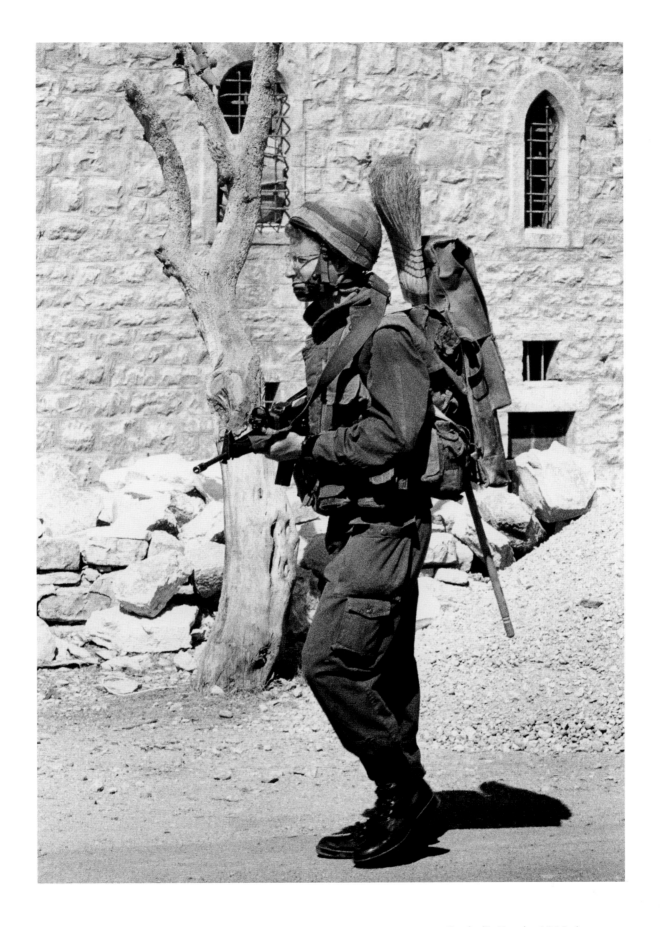

Rachel's Tomb, 1998 ,קבר רחל

18

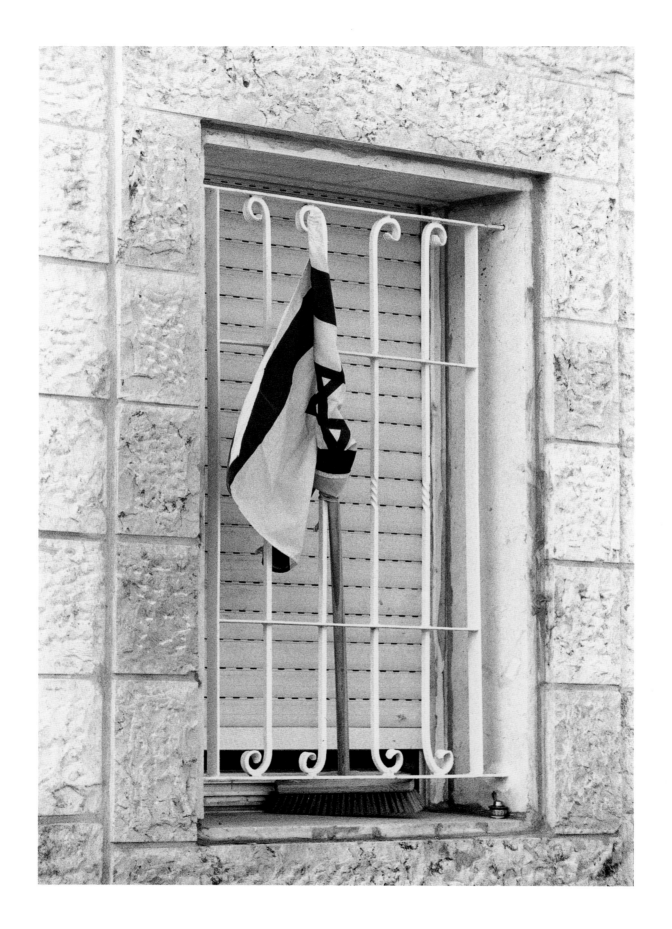

ירושלים, Jerusalem, 1997

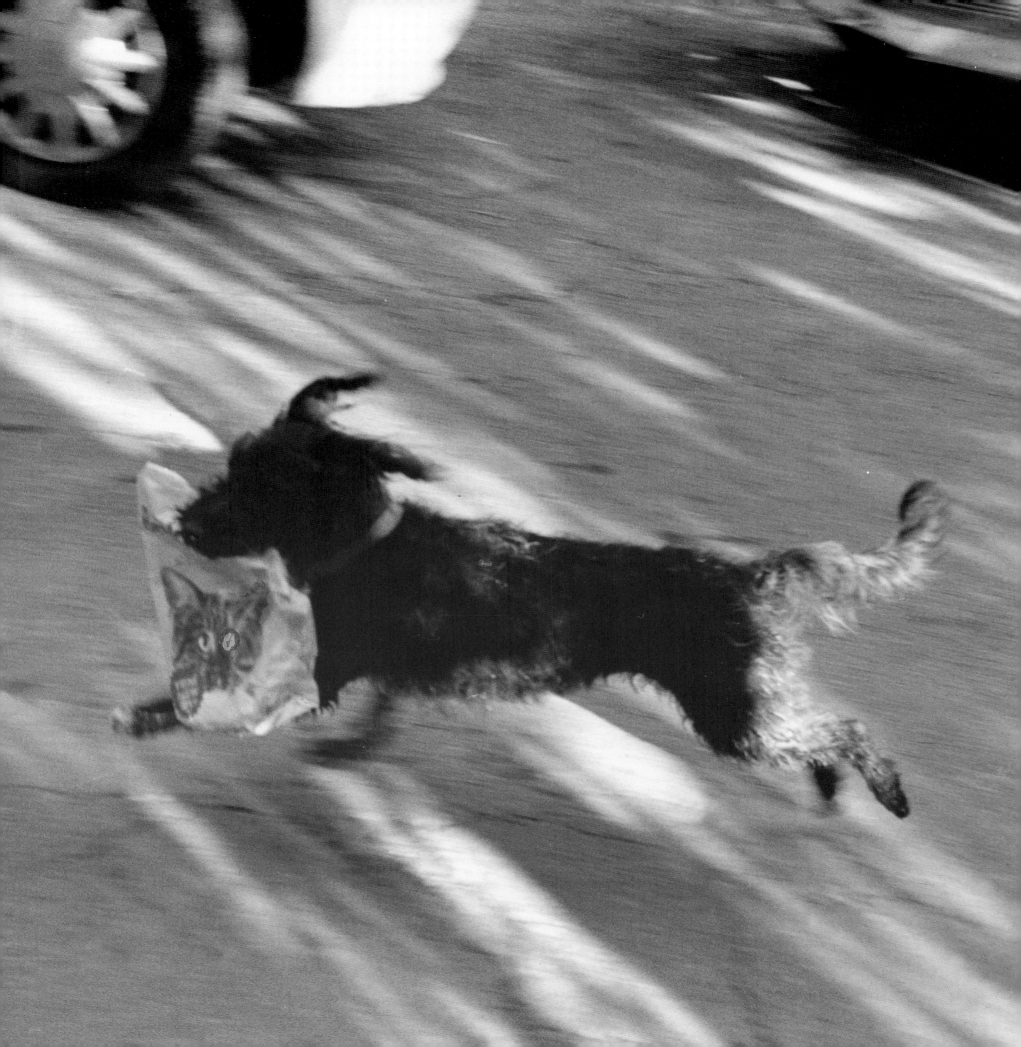

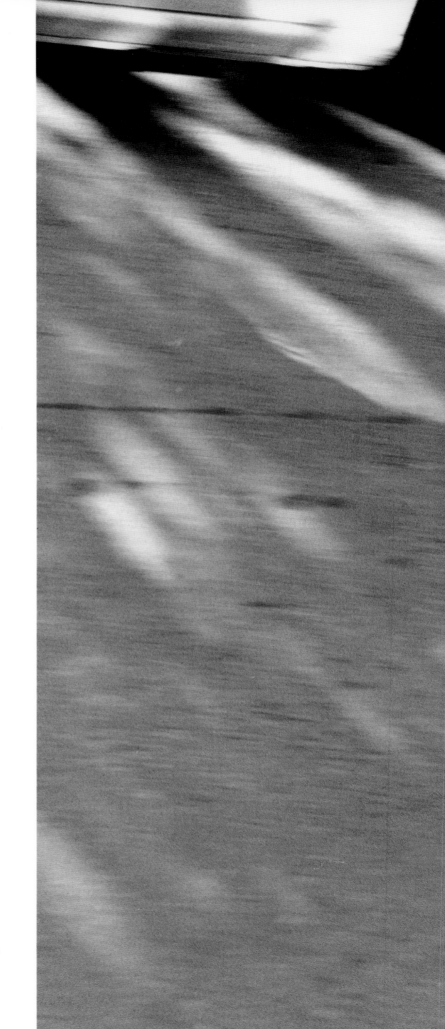

ירושלים, Jerusalem, 1998

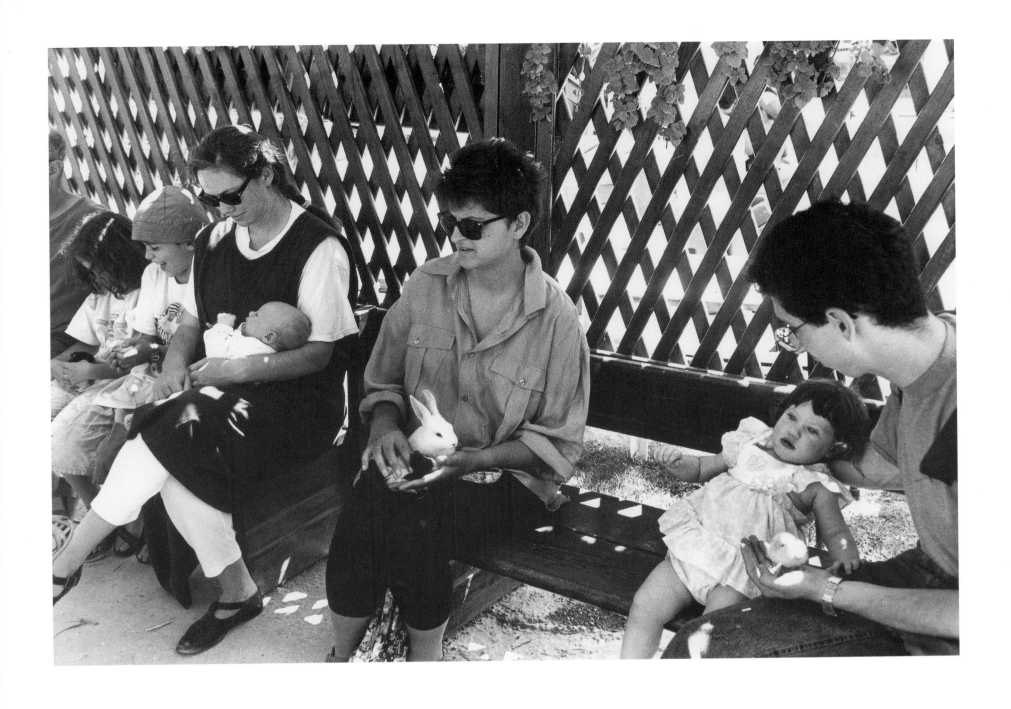

Kibbutz Zuba, 1994 ,קבוץ צובה

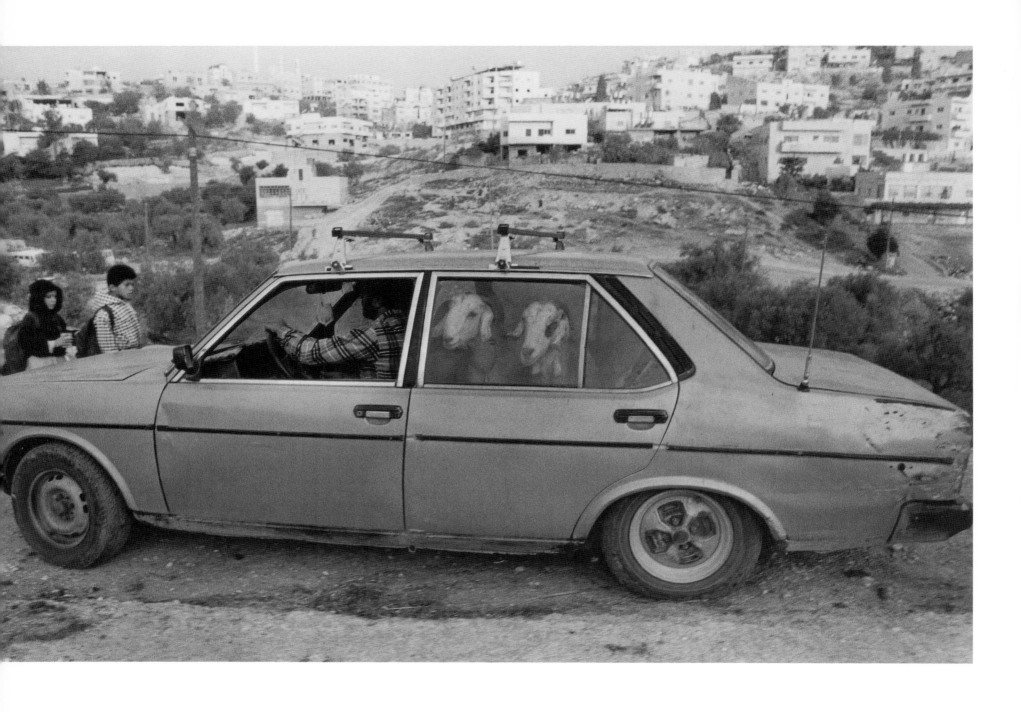

Bethlehem, 1990 ,בית לחם

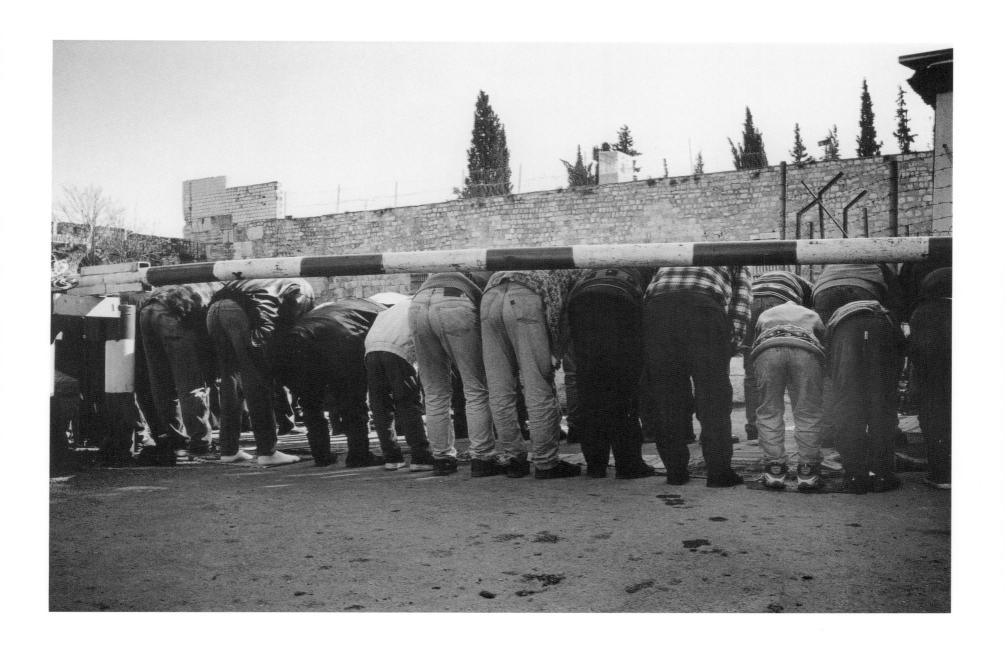

Jerusalem, 1999 ,ירושלים

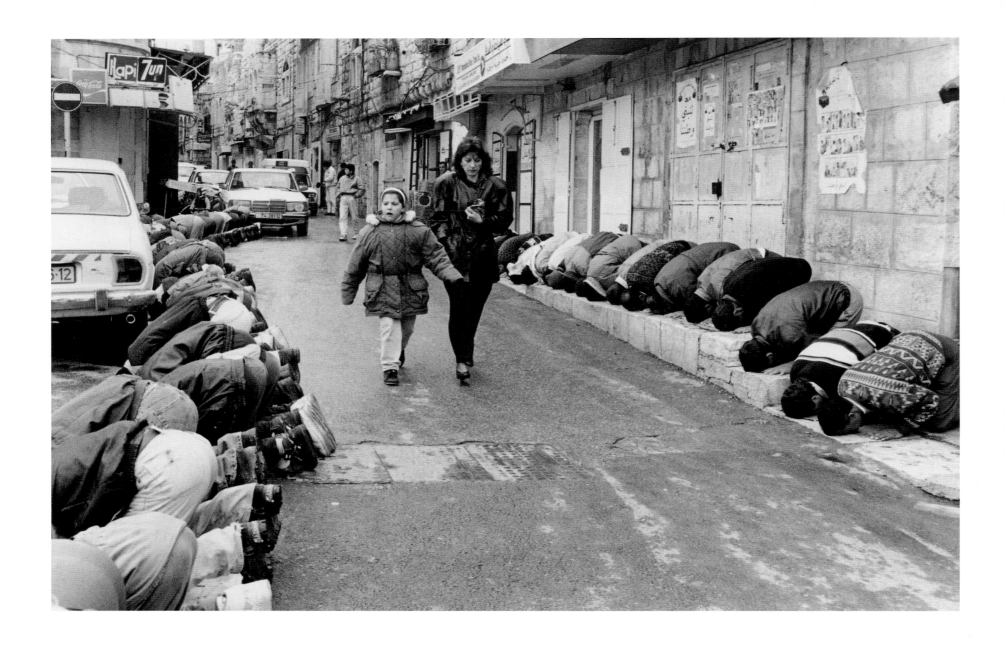

בית לחם, Bethlehem, 1995

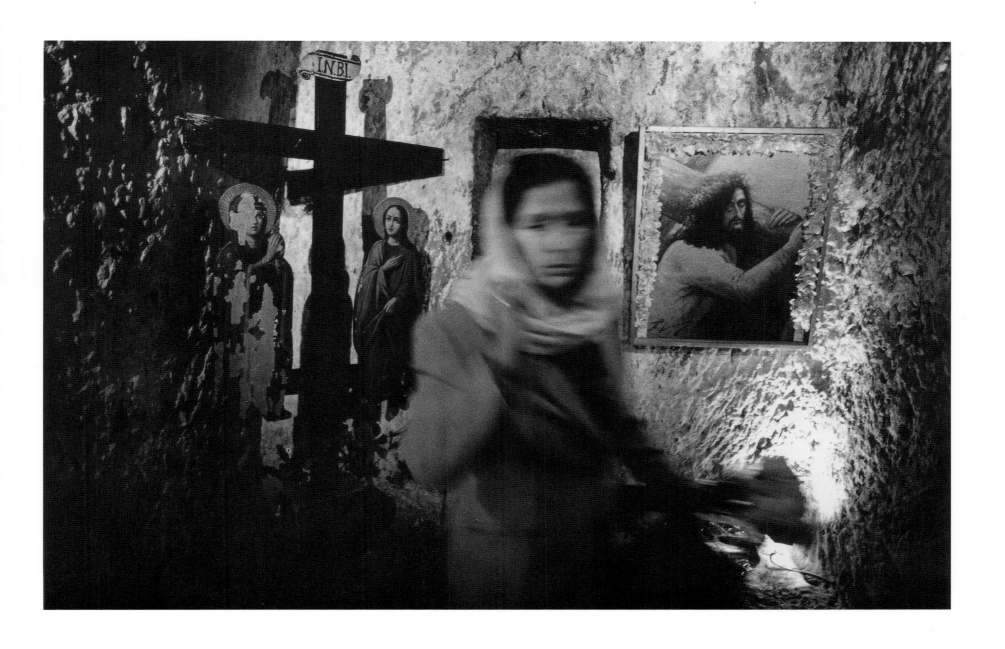

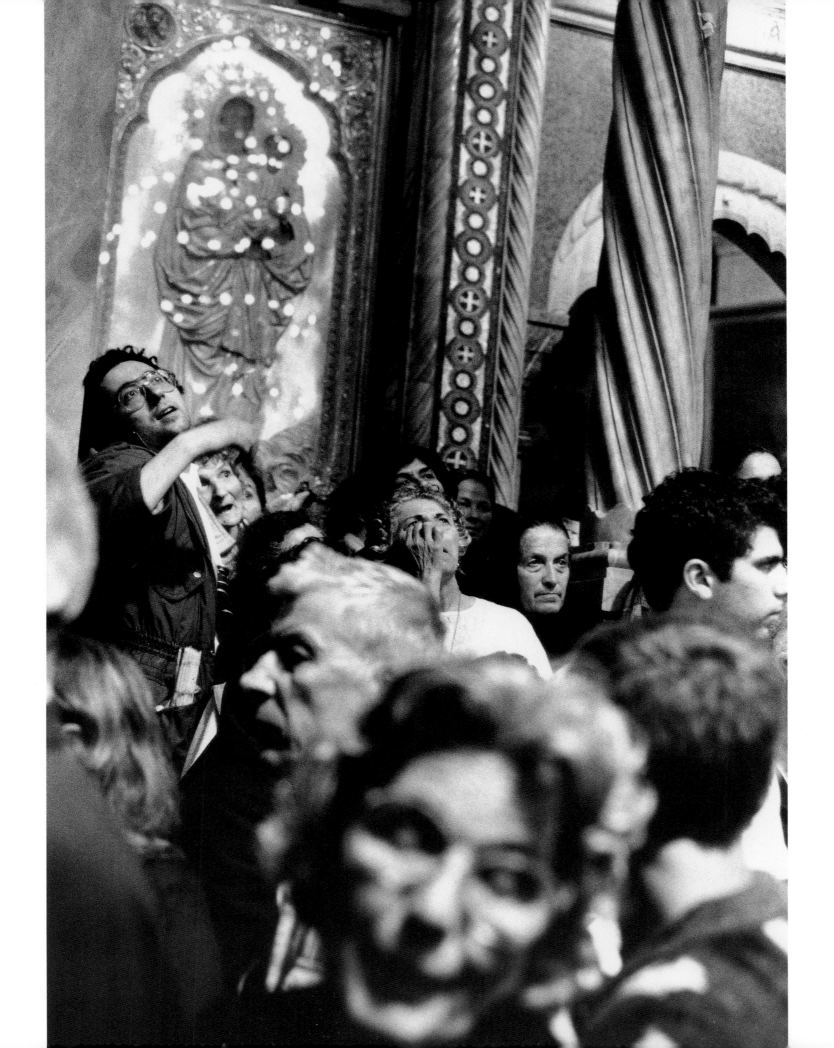

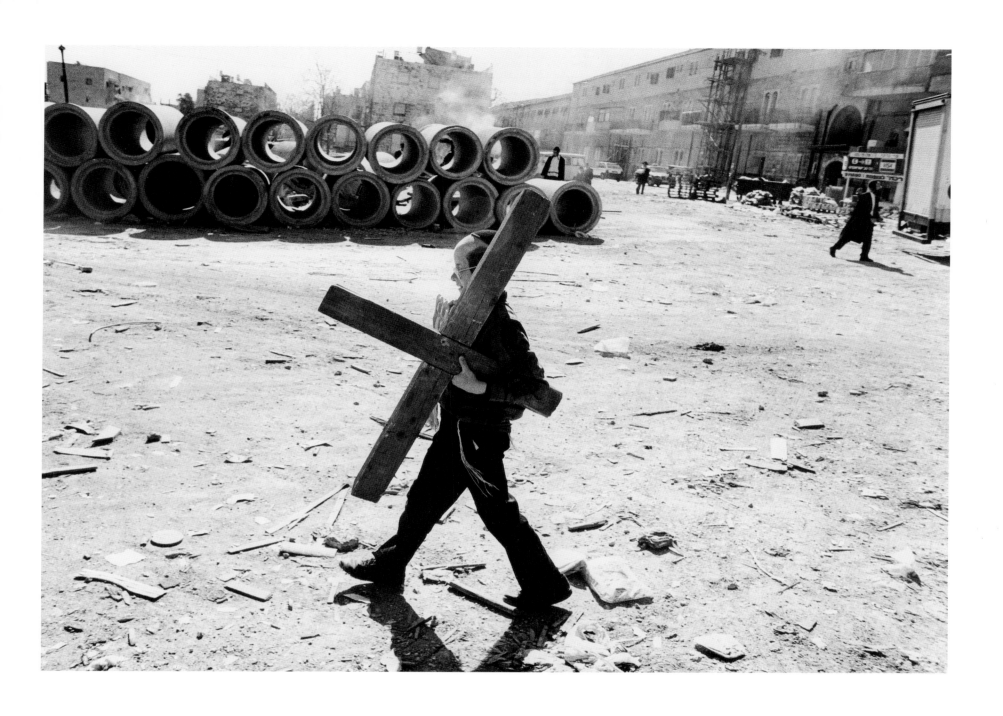

Jerusalem, 1997 ,ירושלים

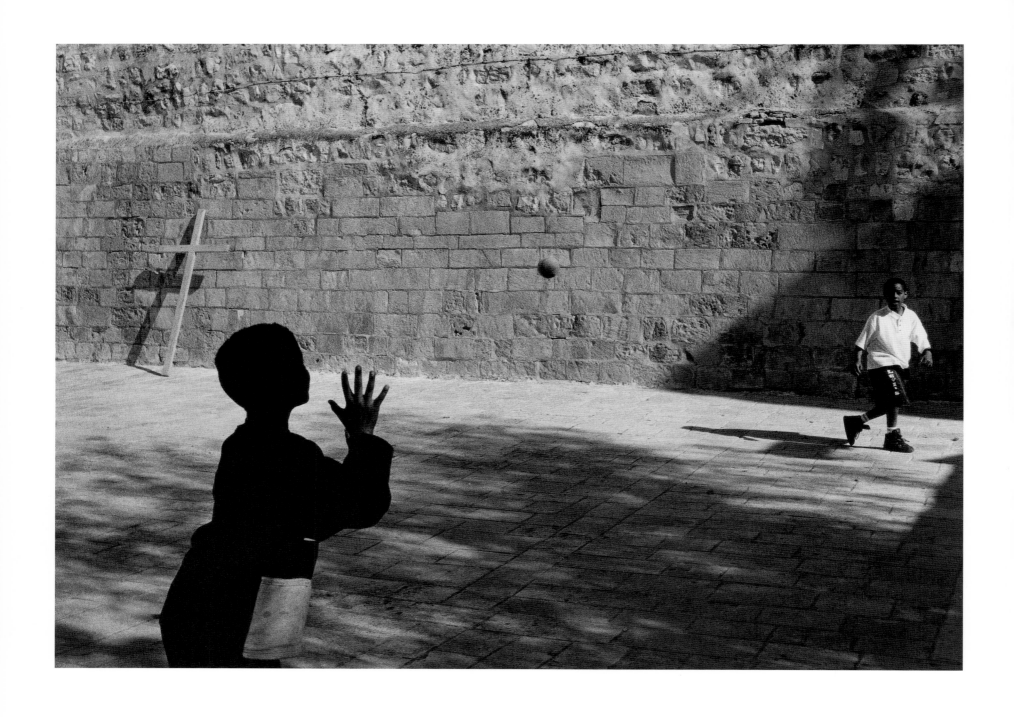

Jerusalem, 1999 ,ירושלים

29

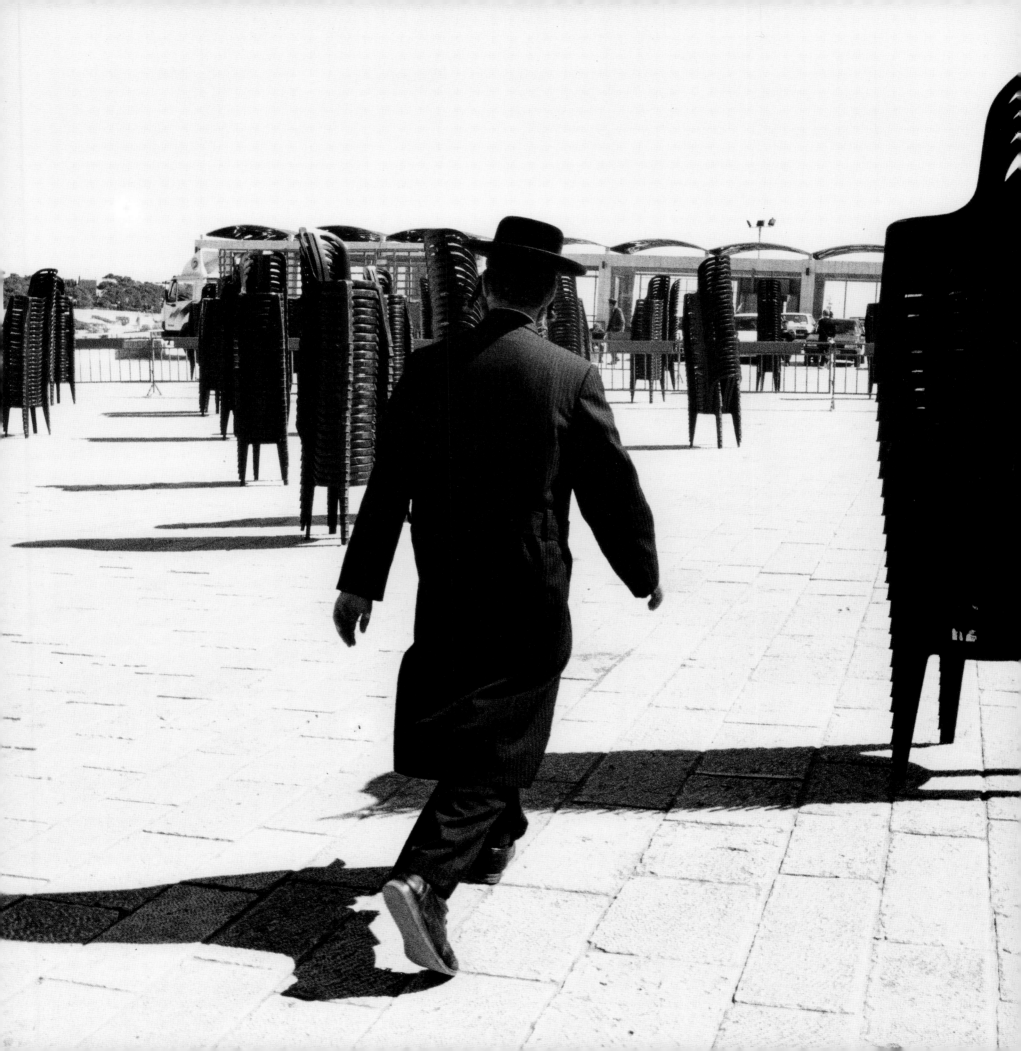

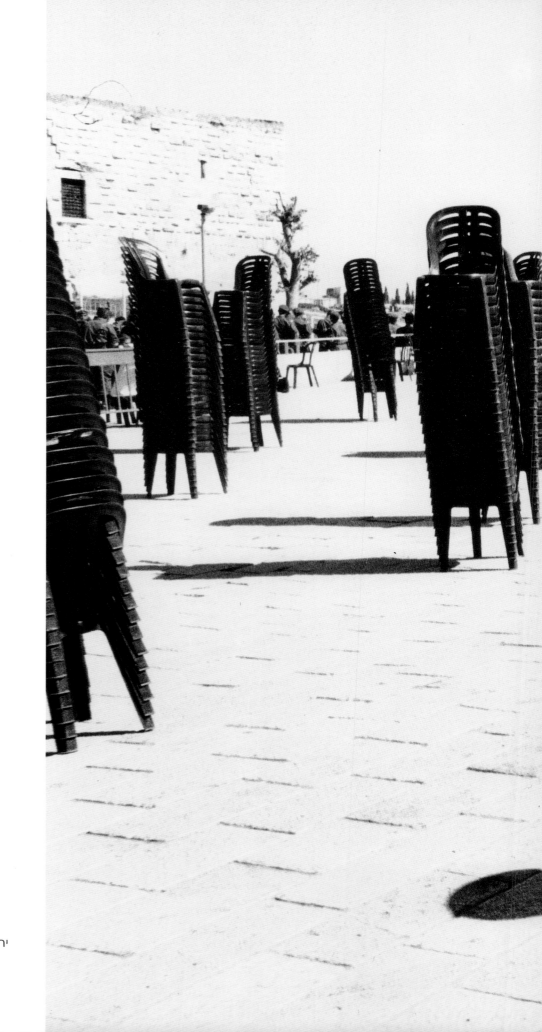

Jerusalem, 1993 ,ירושלים

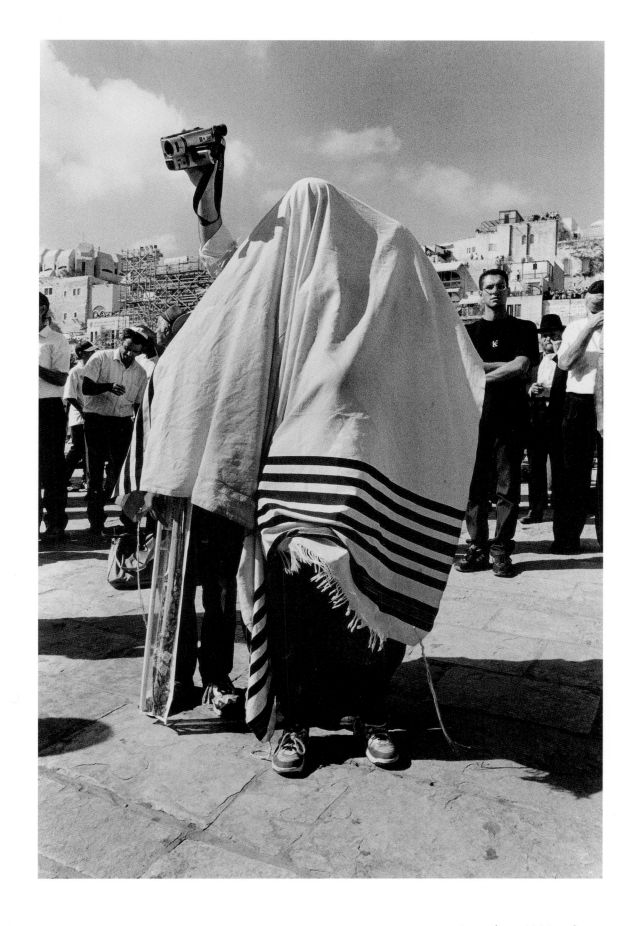

Jerusalem, 1999 ‏ירושלים‎

32

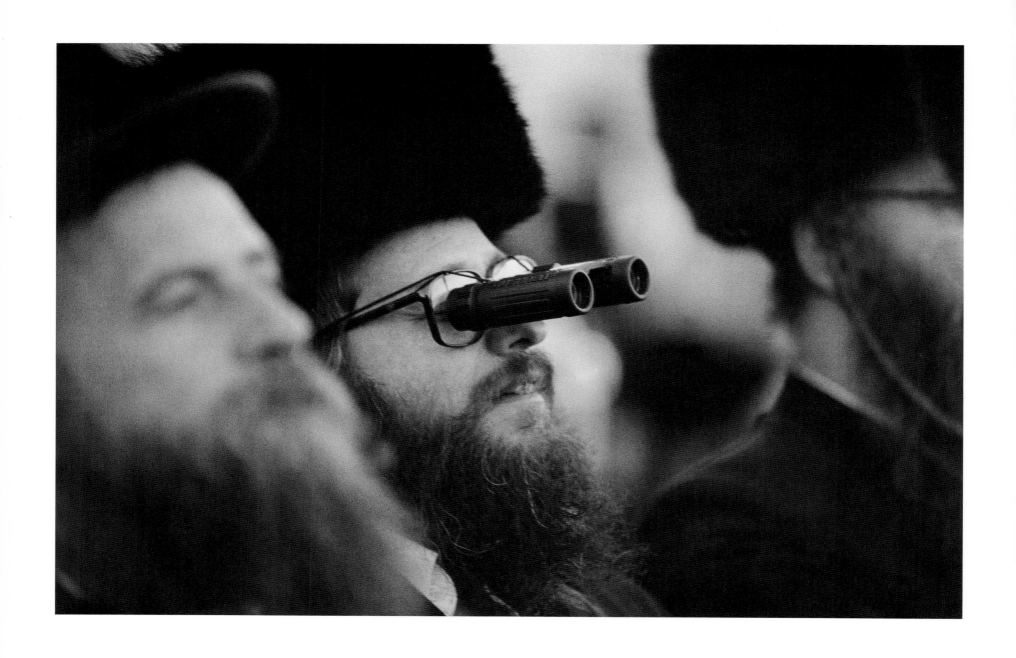

Jerusalem, 2000 ,ירושלים

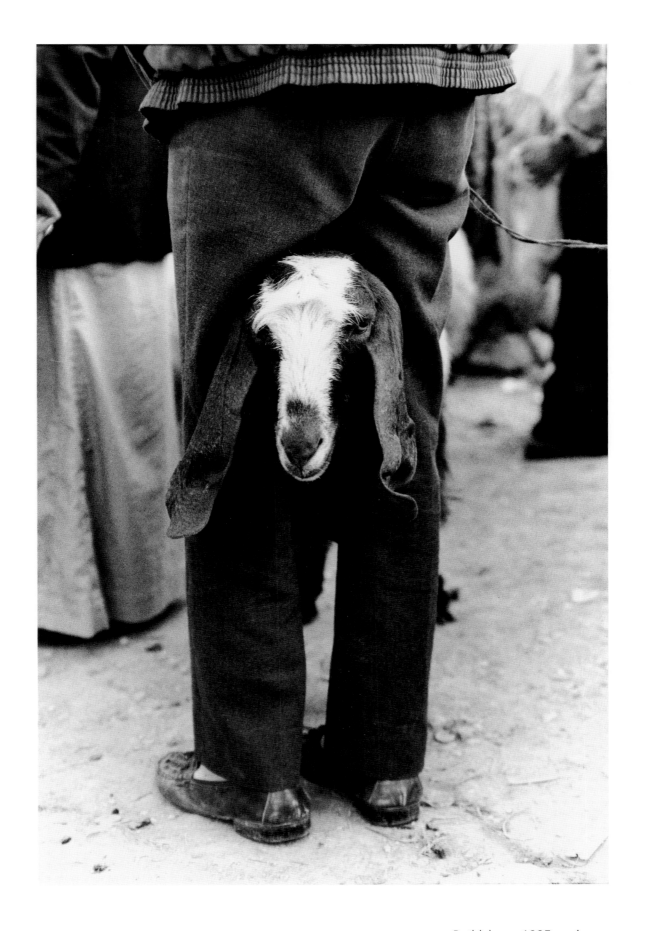

בית לחם, Bethlehem, 1995

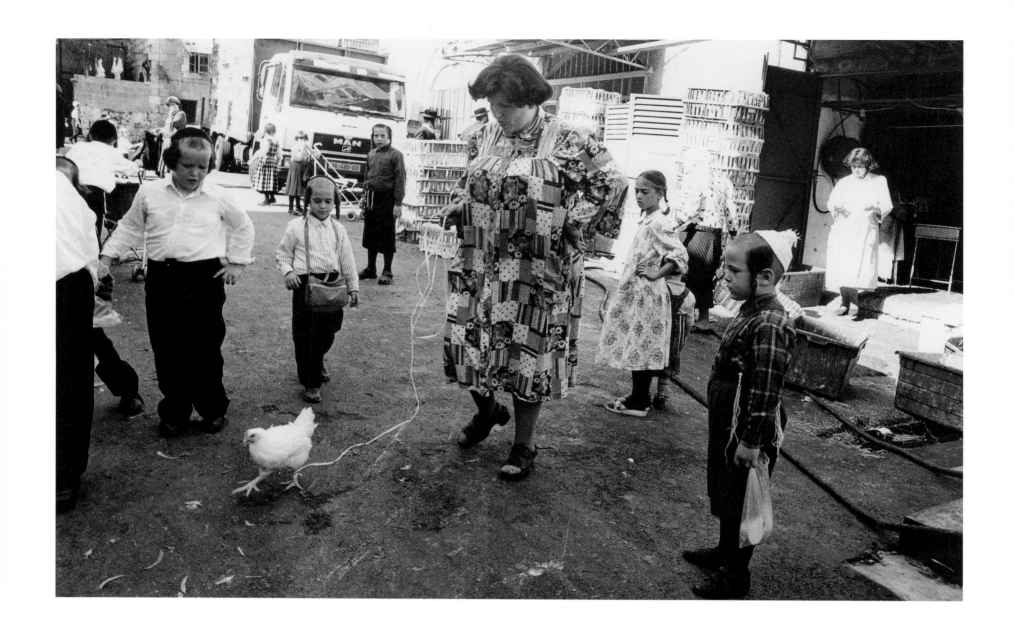

Jerusalem, 1995 ,ירושלים

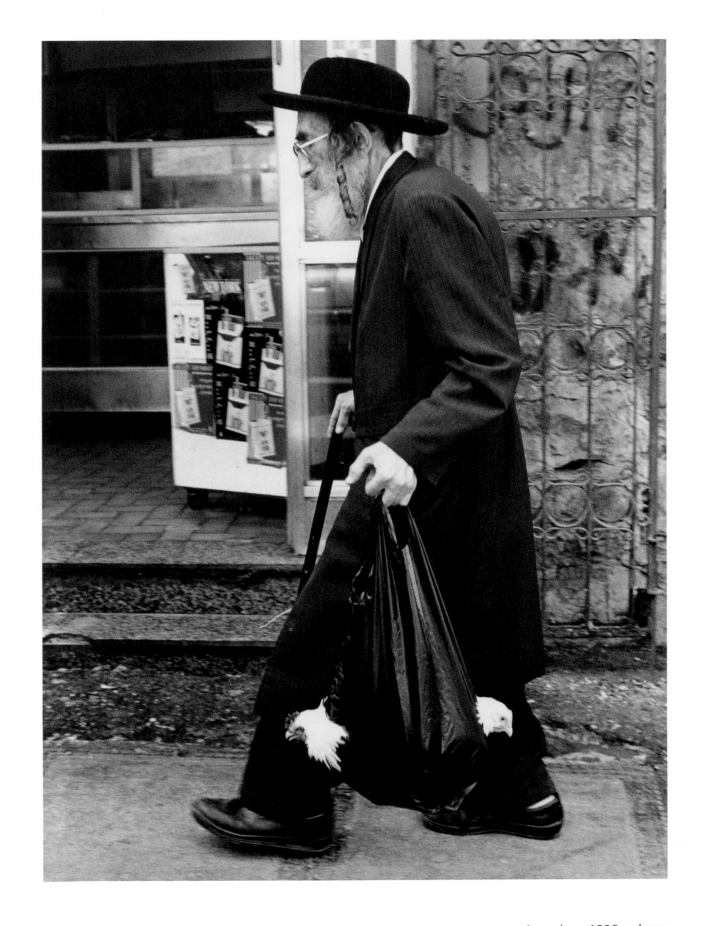

ירושלים, Jerusalem, 1996

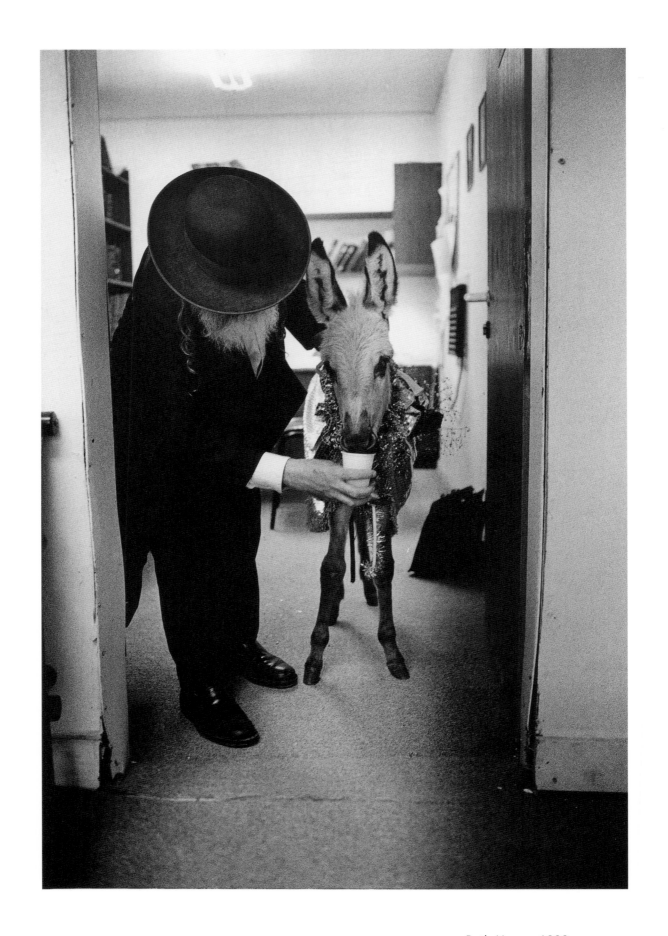

Beth Horon, 1999 ,בית חורון

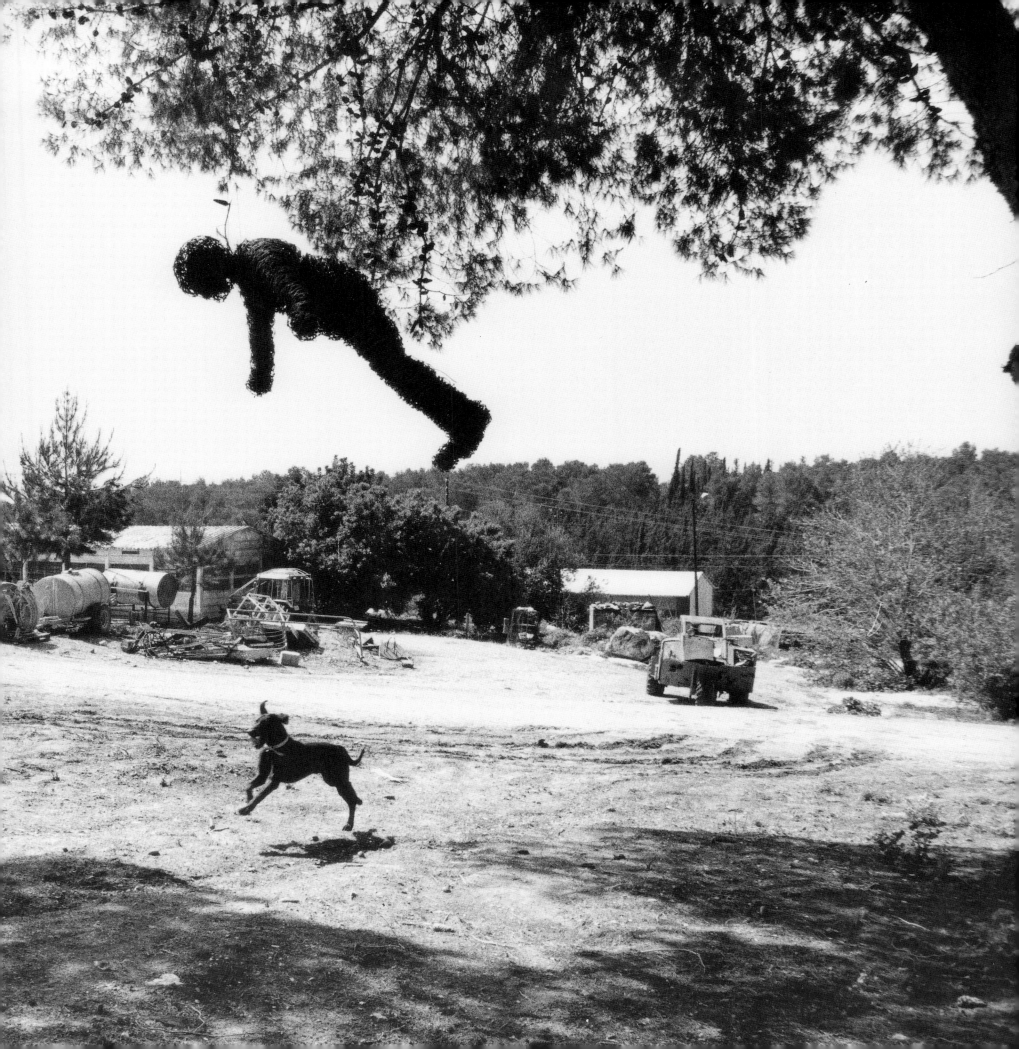

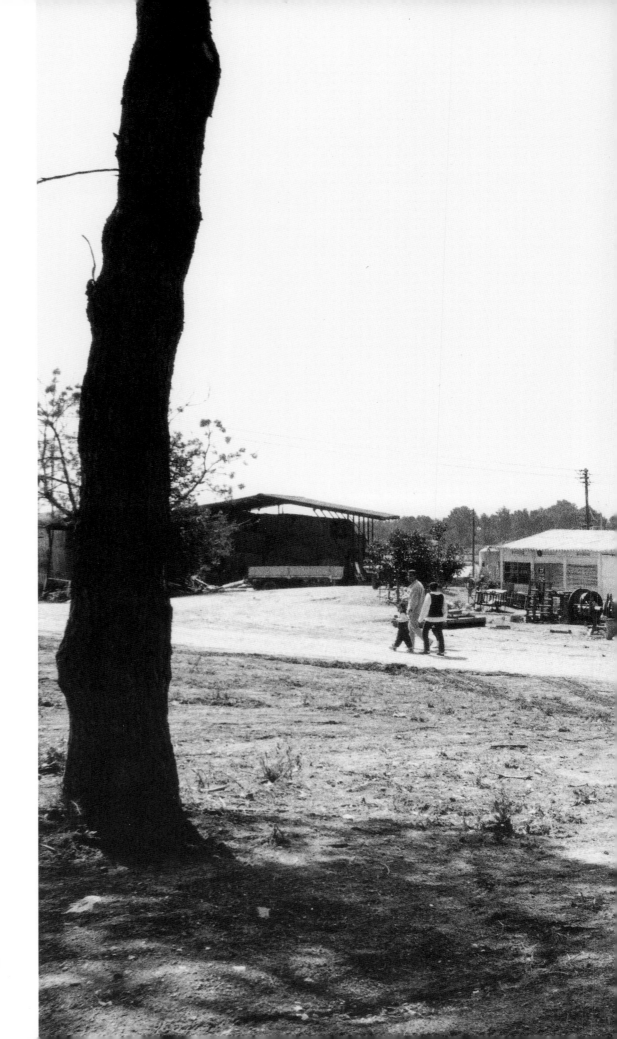

Tzora, 1996 ,צרעה

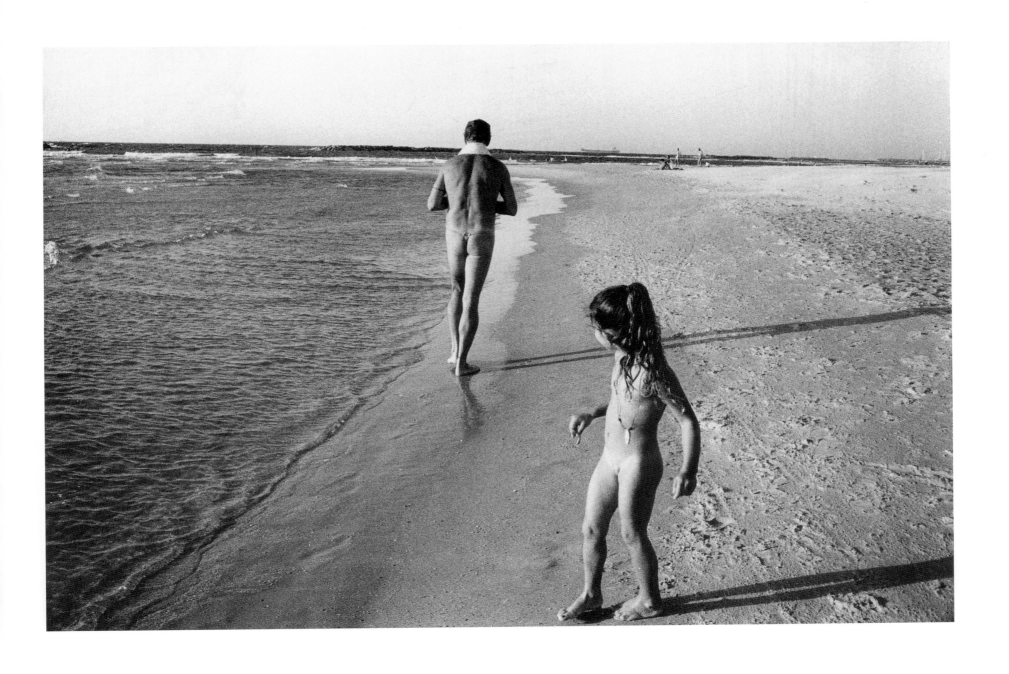

תל-אביב, Tel Aviv, 1999

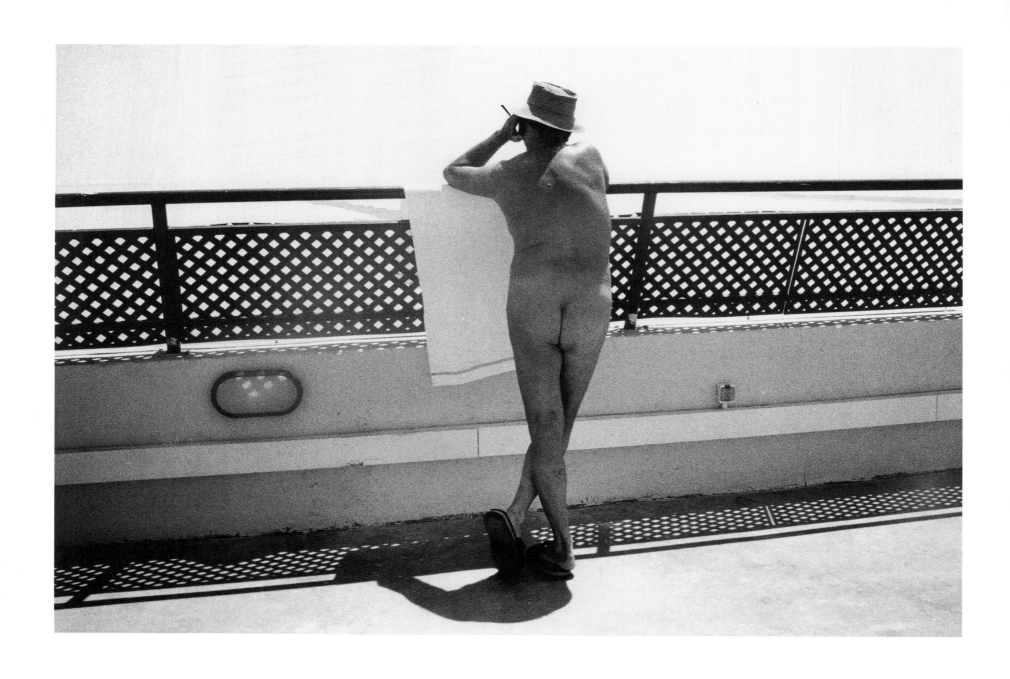

ים המלח, Dead Sea, 1999

41

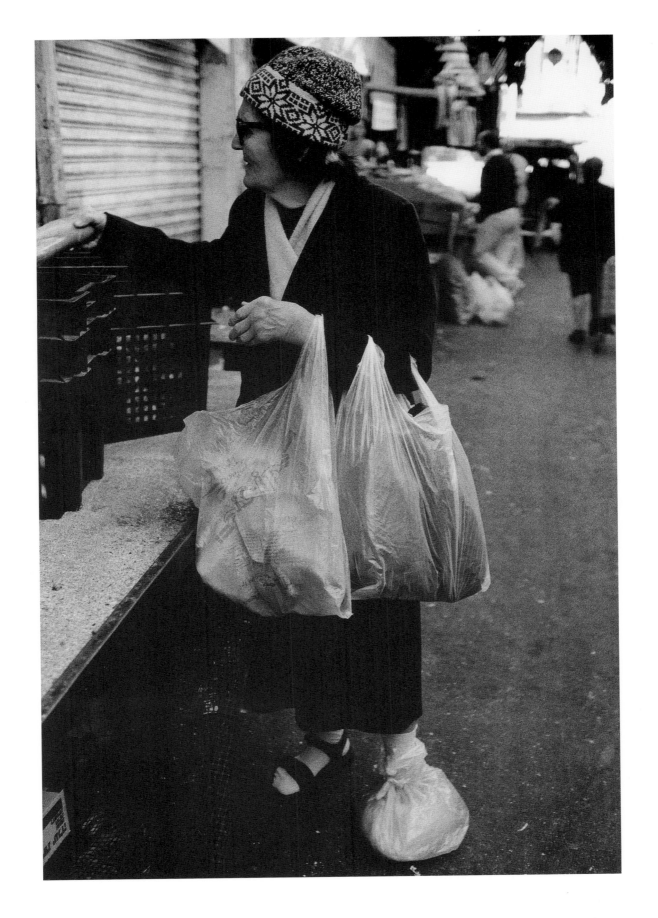

Jerusalem, 2000 ,ירושלים

42

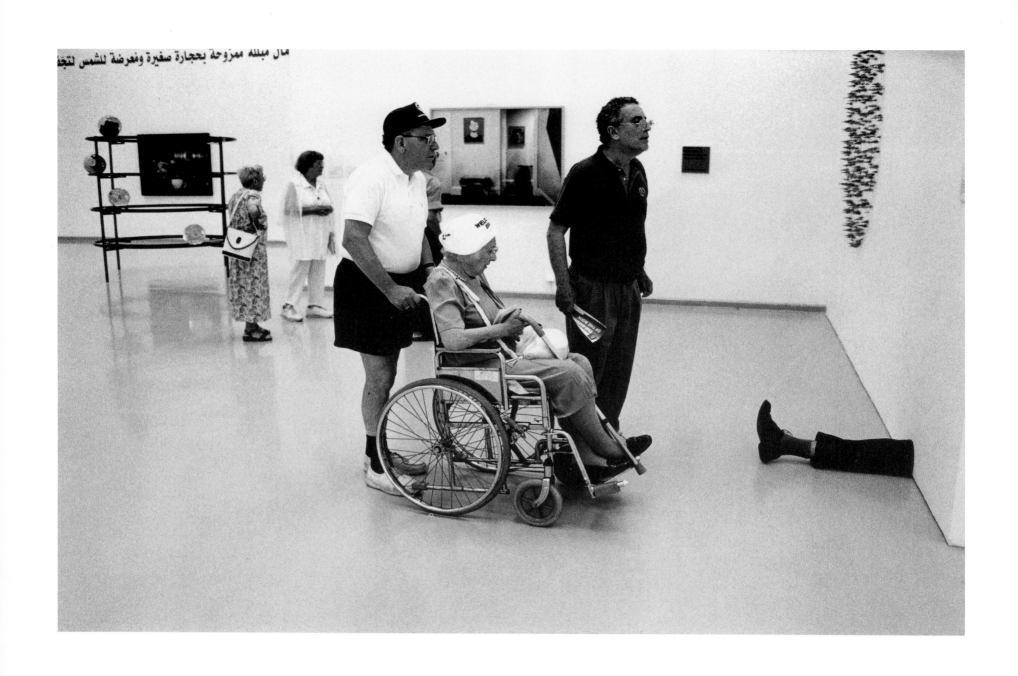

ירושלים, Jerusalem, 1994

43

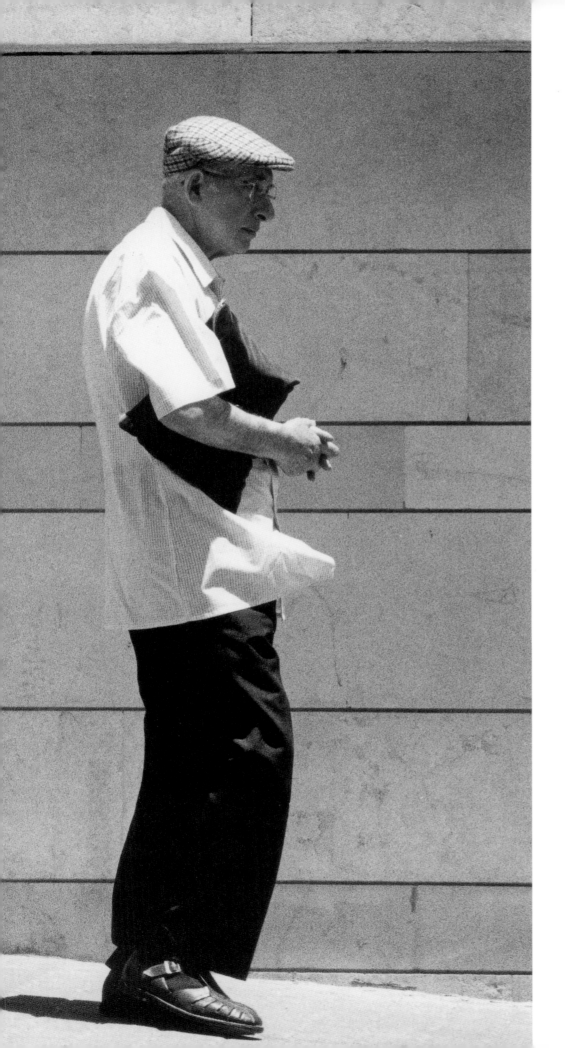

Jerusalem, 1992 ,ירושלים

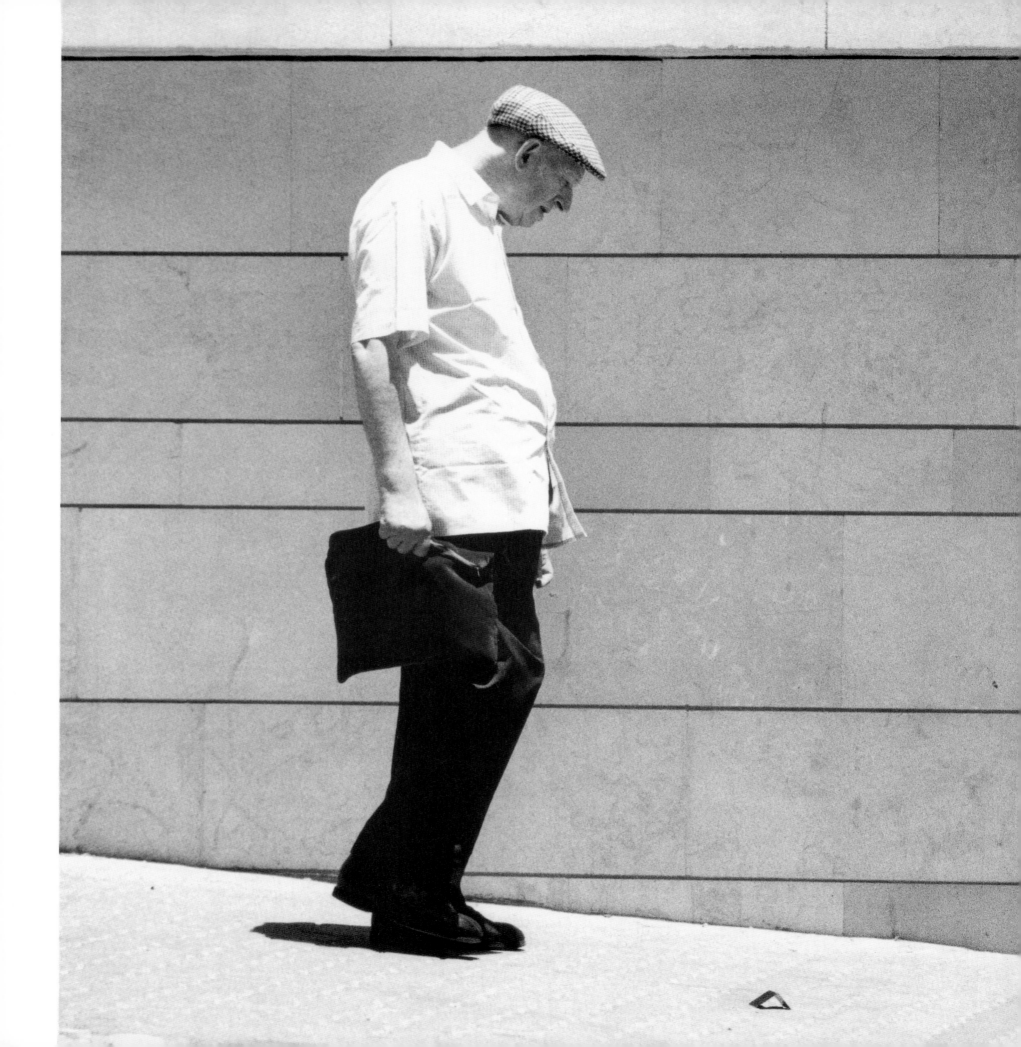

Above: Jerusalem, 1996 למעלה: ירושלים,

Opposite: Jerusalem, 1999 ממול: ירושלים,

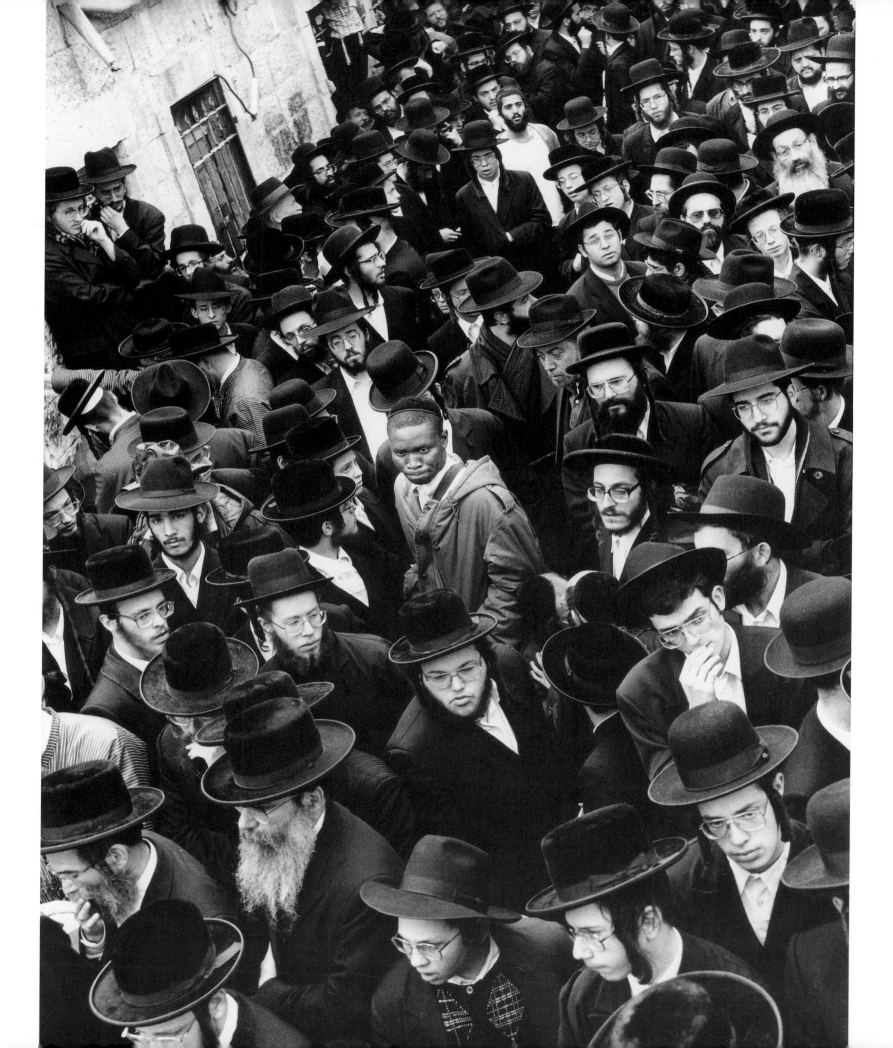

BABY
BABY

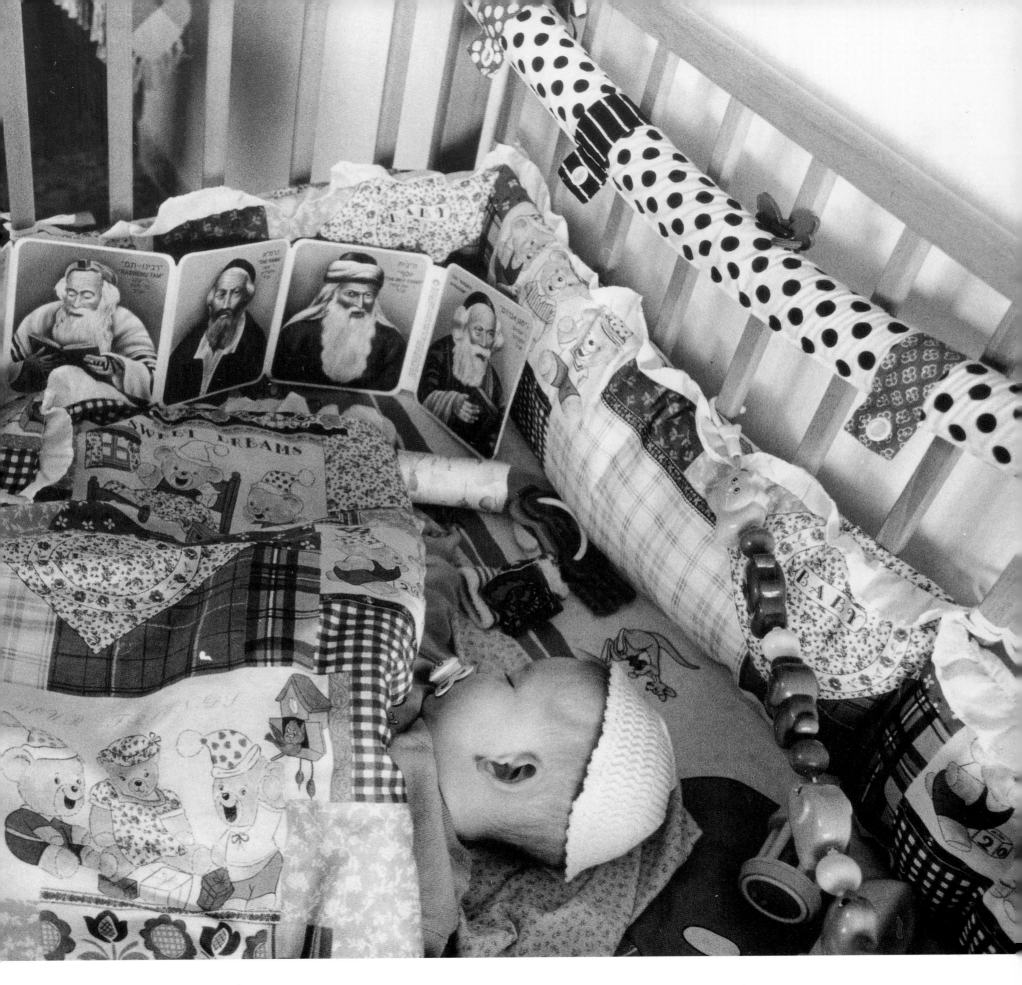

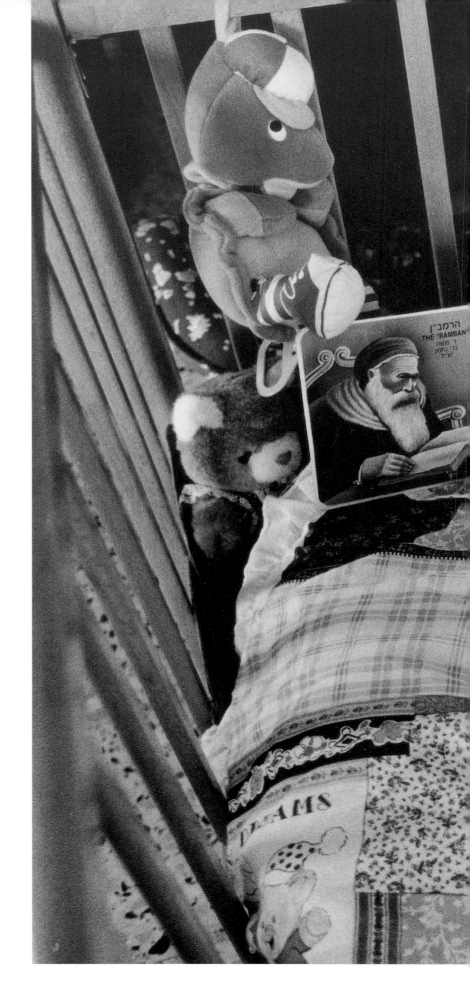

Emanuel, 1998 עמנואל,

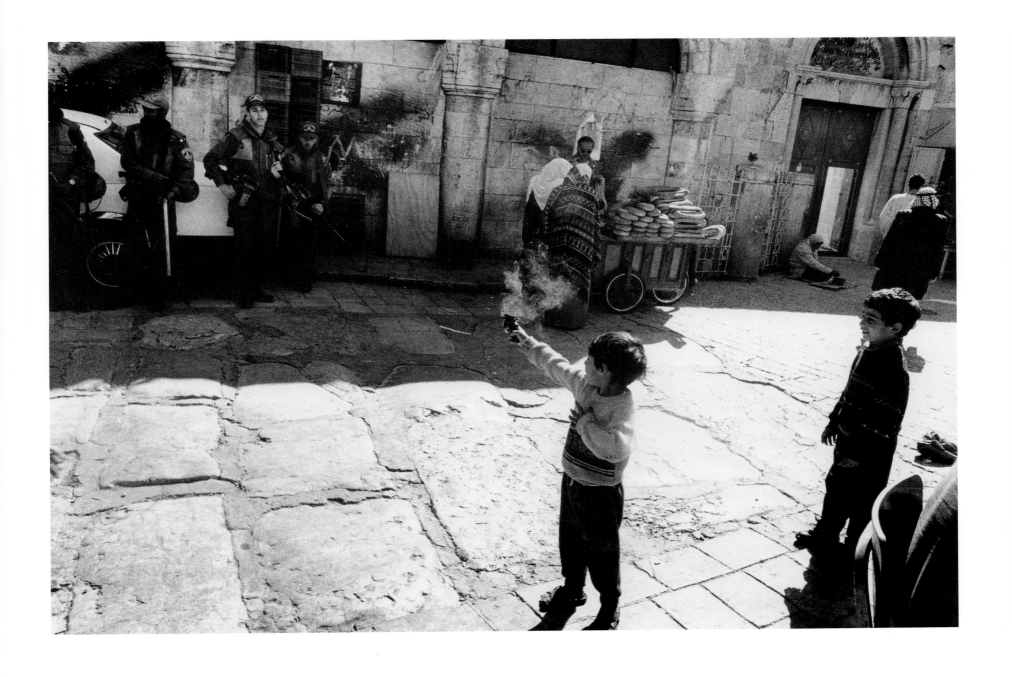

Jerusalem, 1998 ,ירושלים

50

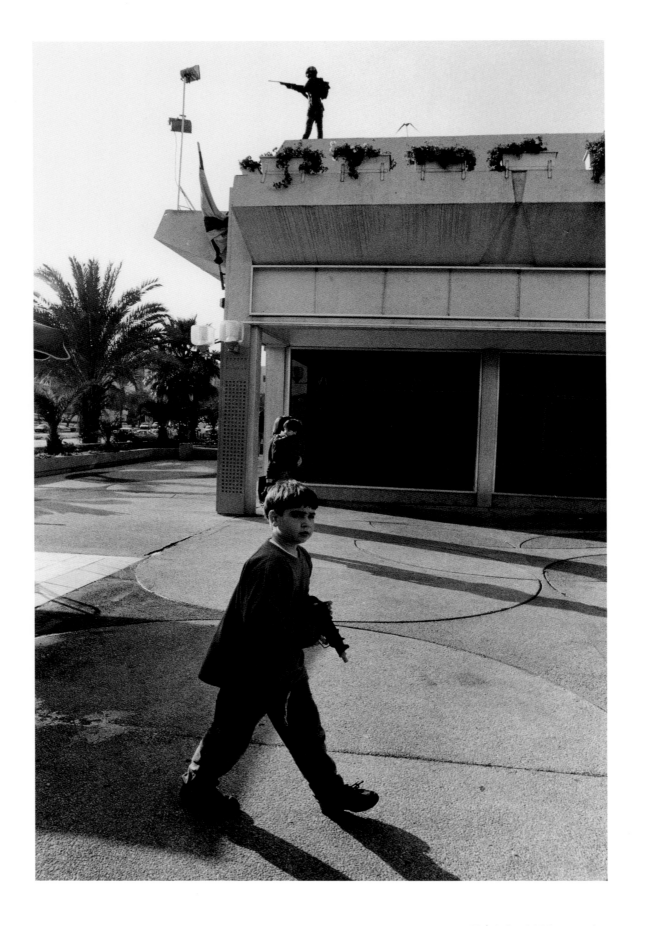

תל-אביב, Tel Aviv, 1998

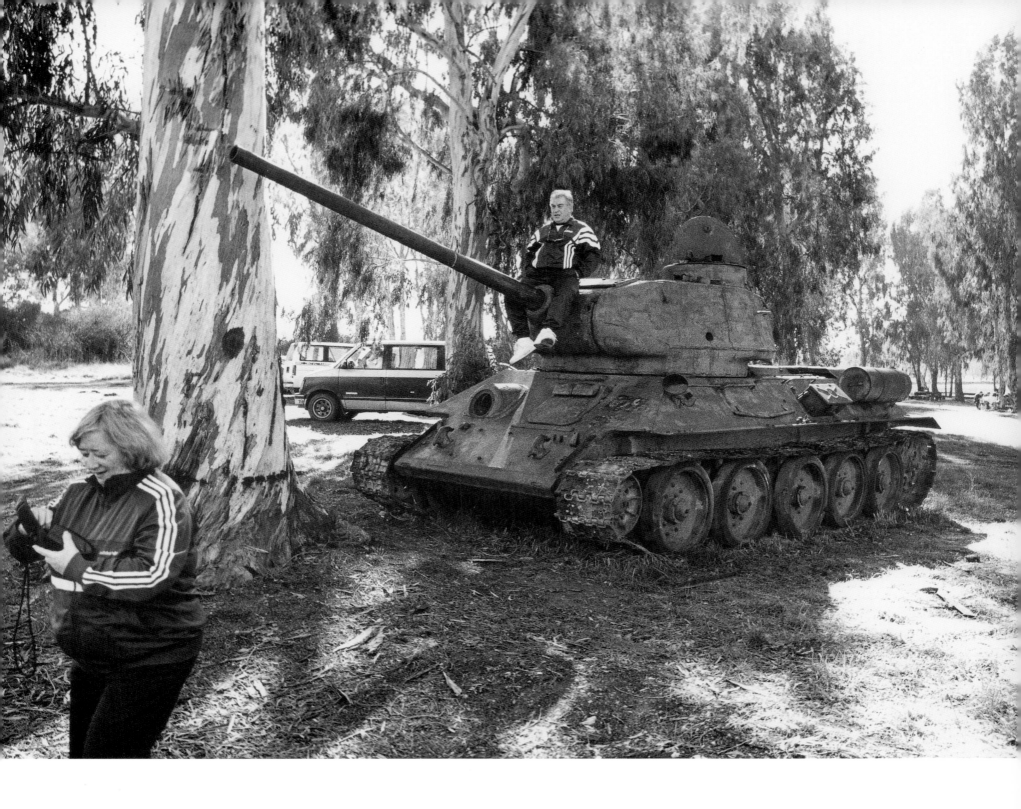

מטולה, Metula, 1998

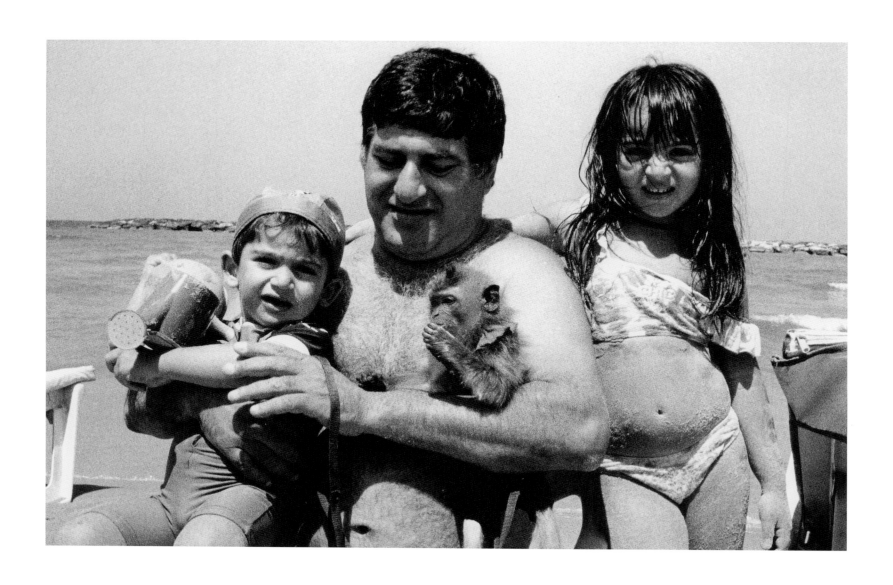

תל-אביב, Tel Aviv, 2000

Above: Jerusalem, 1996 ,למעלה: ירושלים

Opposite: Tel Aviv, 1998 ,ממול: תל-אביב

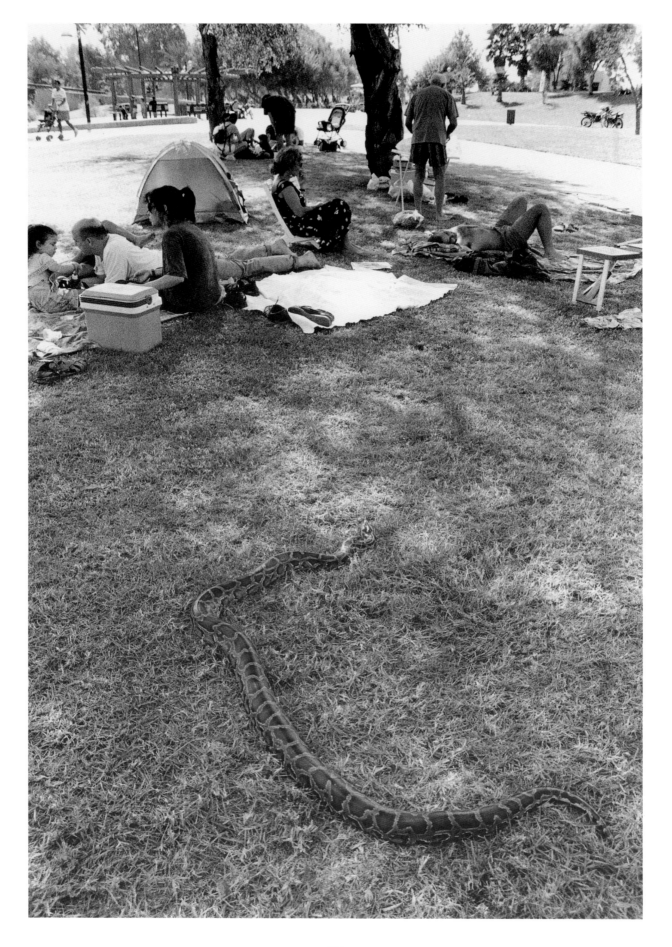

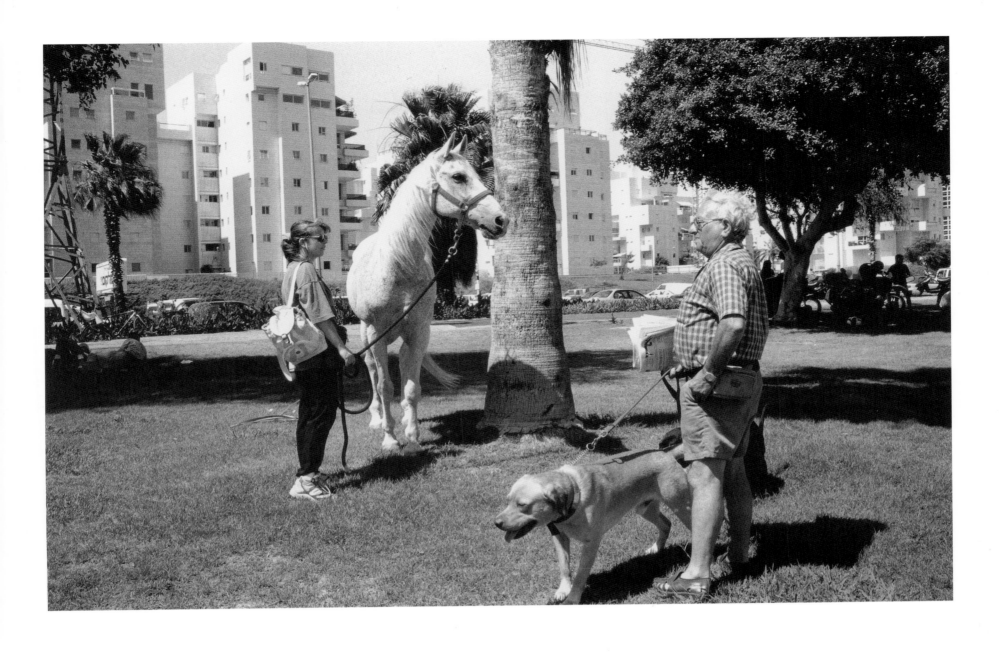

תל-אביב, Tel Aviv, 1999

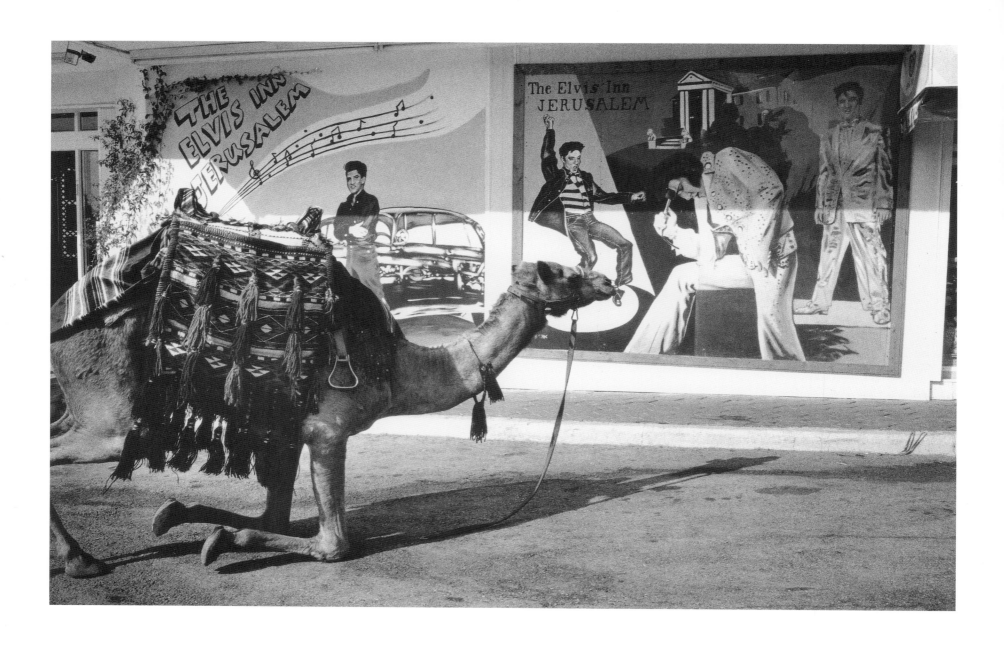

נווה אילן, Neve Ilan, 1999

57

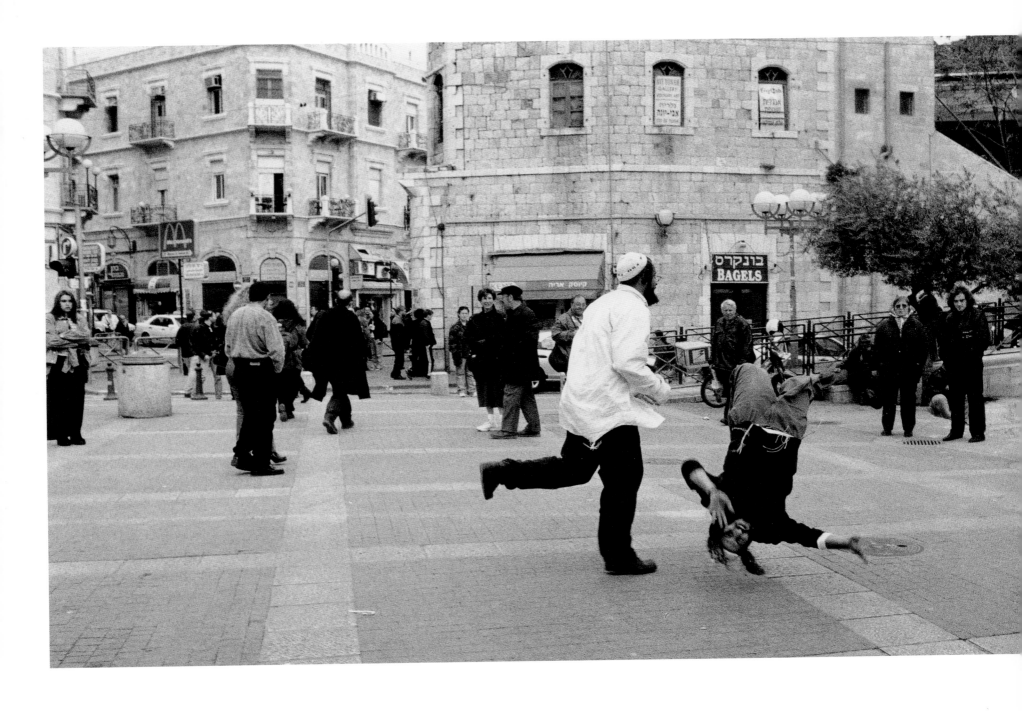

ירושלים, Jerusalem, 1999

58

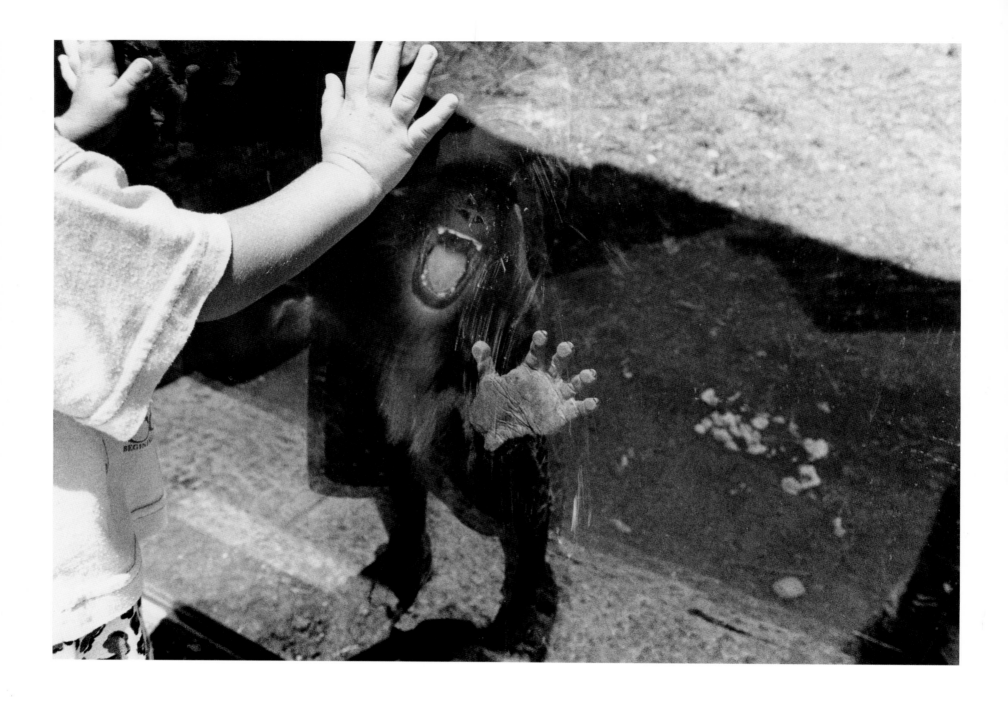

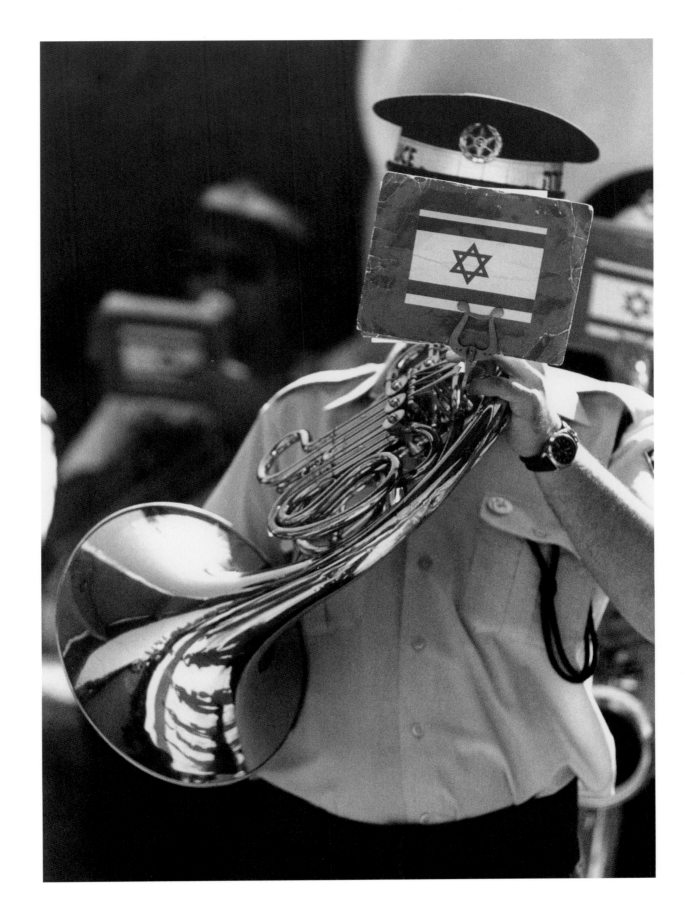

ירושלים, Jerusalem, 1993

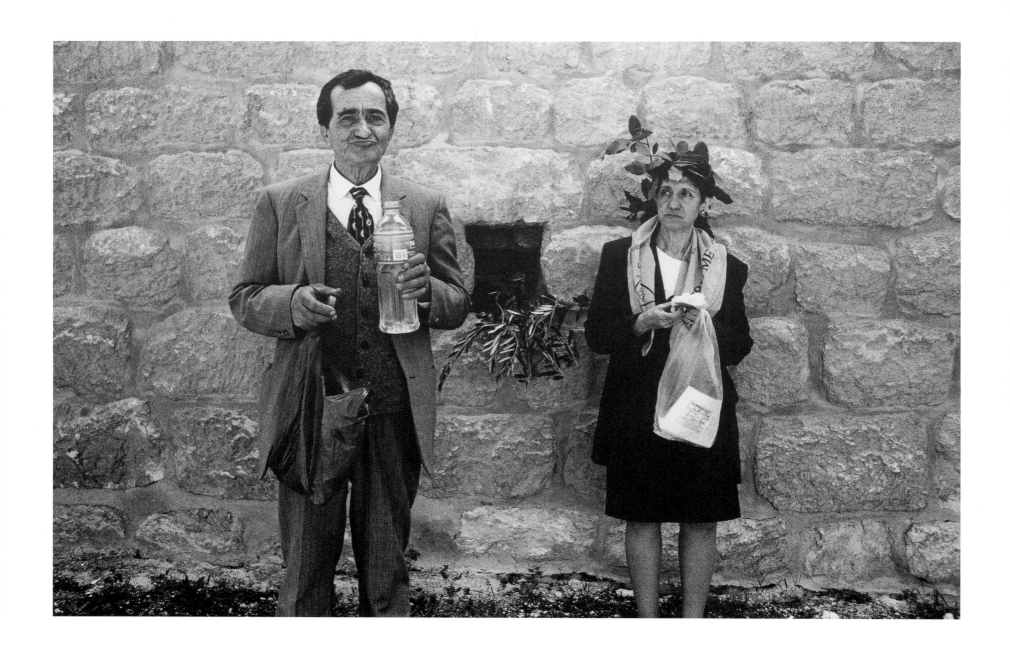

בית פג'אר, Beth Fajar, 2000

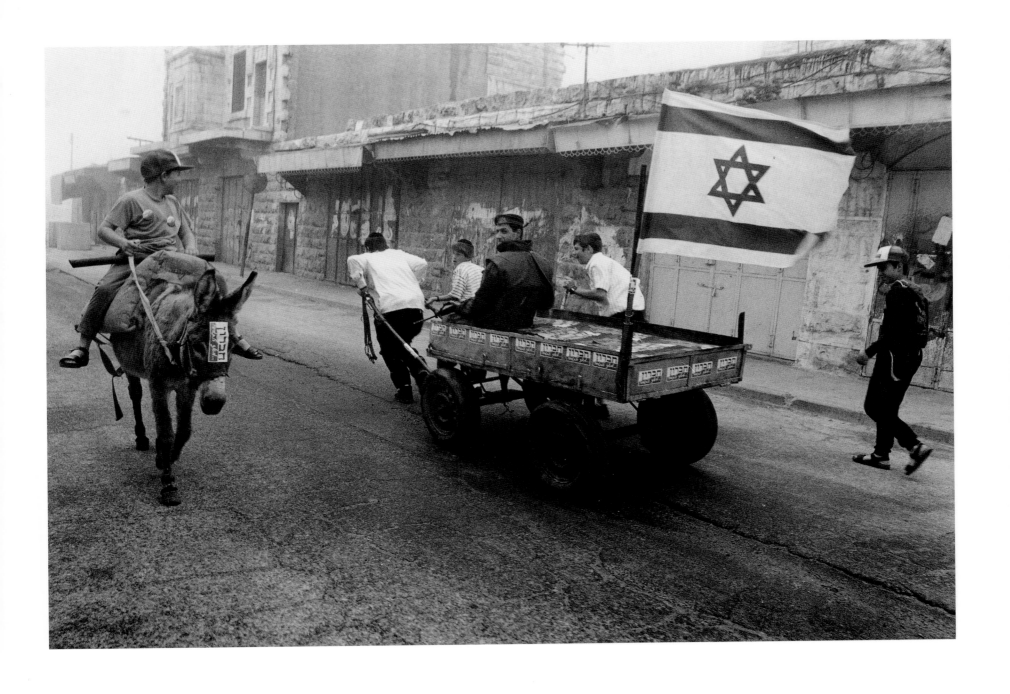

Hebron, 1995 ,חברון

62

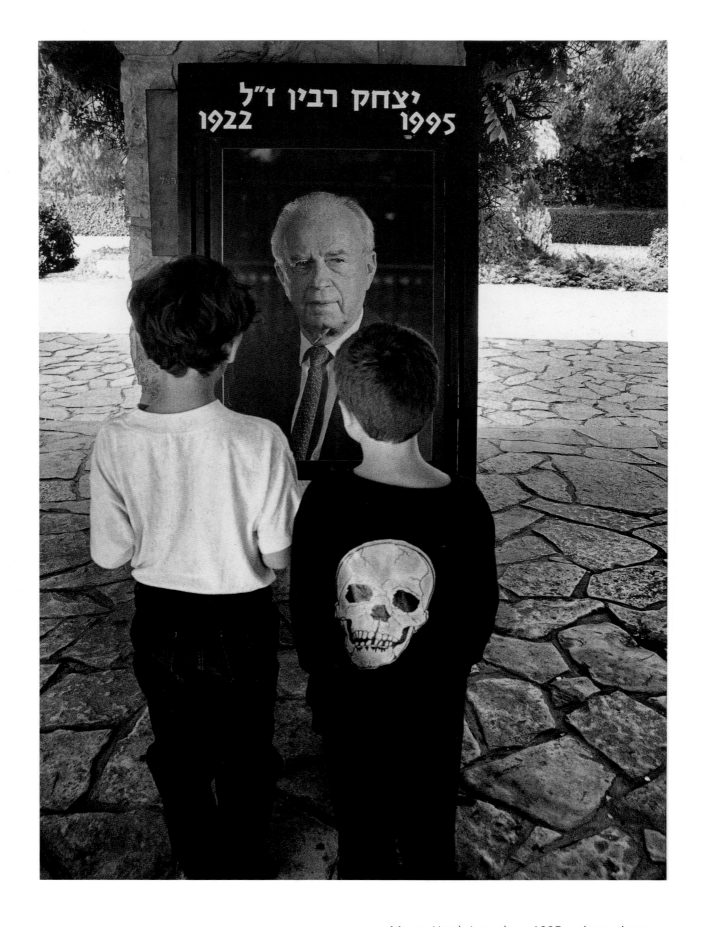

הר הרצל, ירושלים,‏ Mount Herzl, Jerusalem, 1995

63

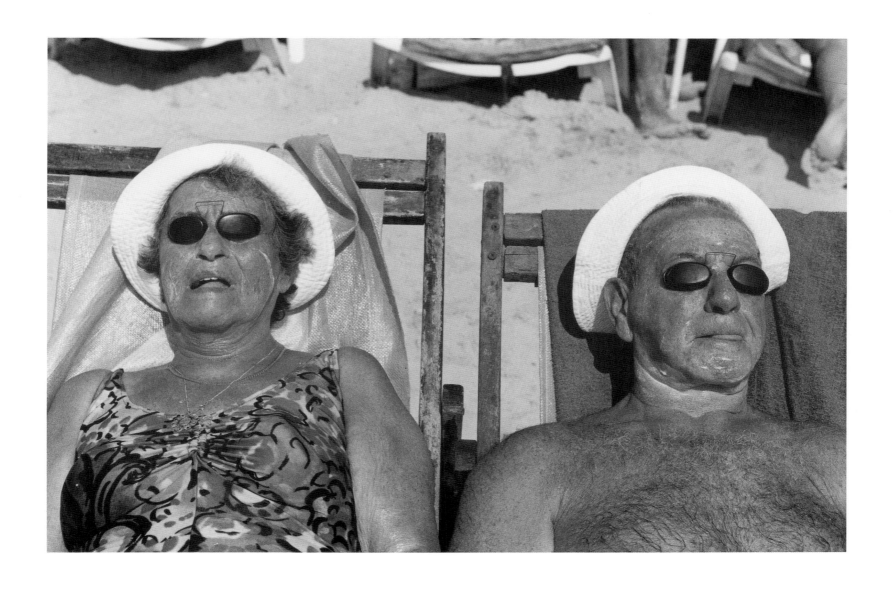

Tel Aviv, 1997 ,תל-אביב

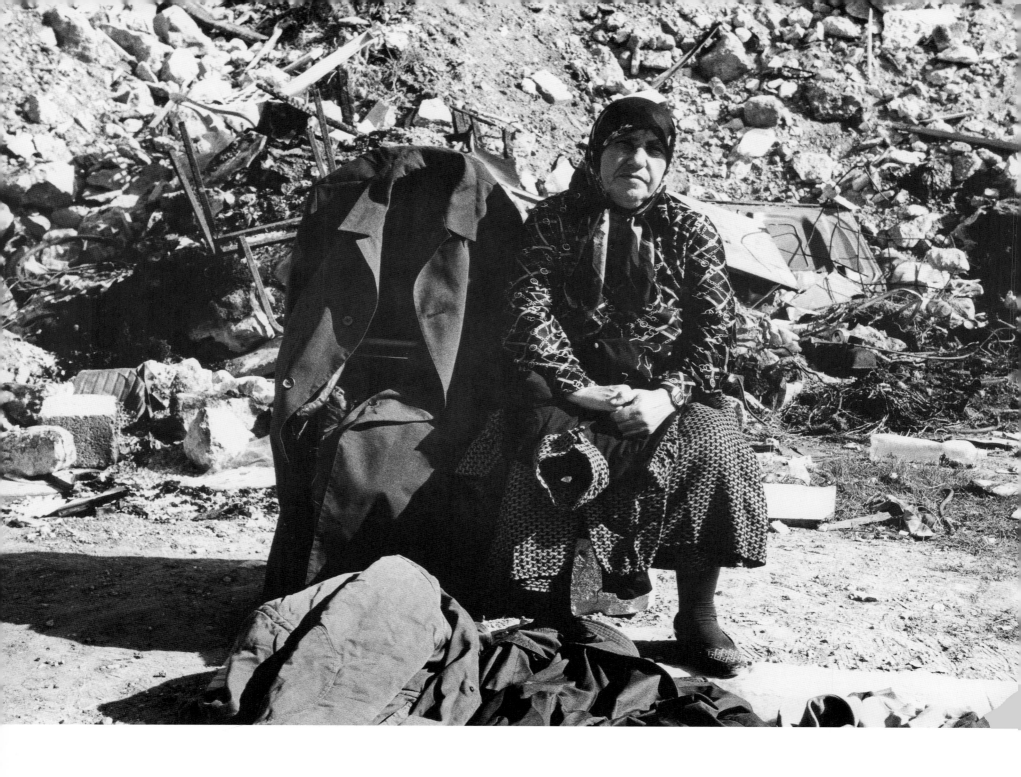

Ramla, 1998 ,רמלה

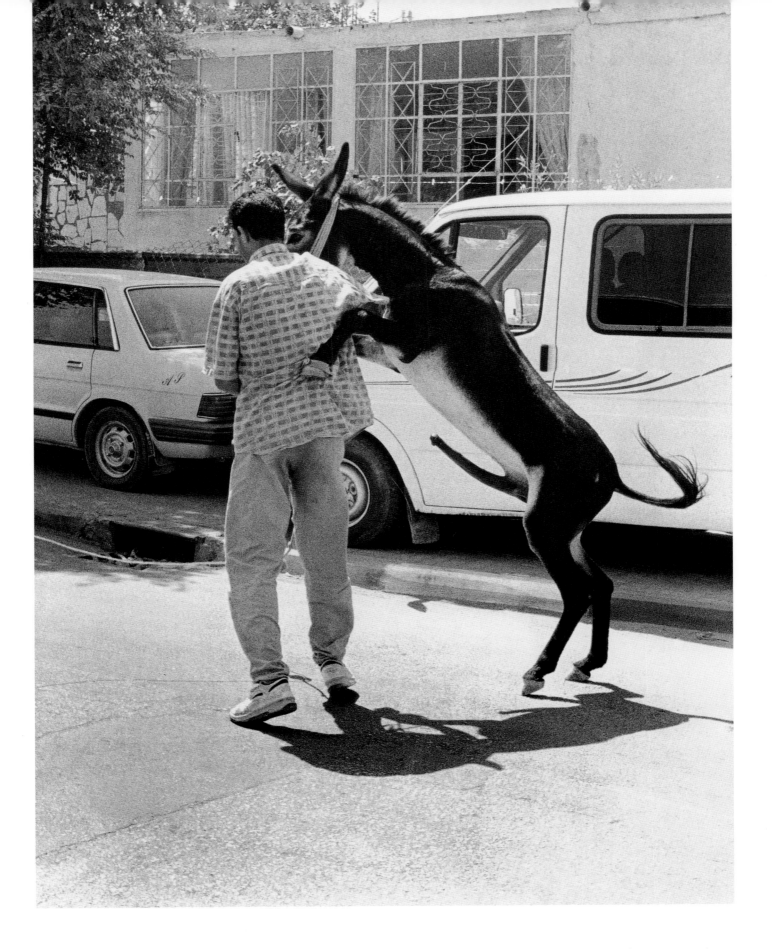

Jerusalem, 1997 ,ירושלים

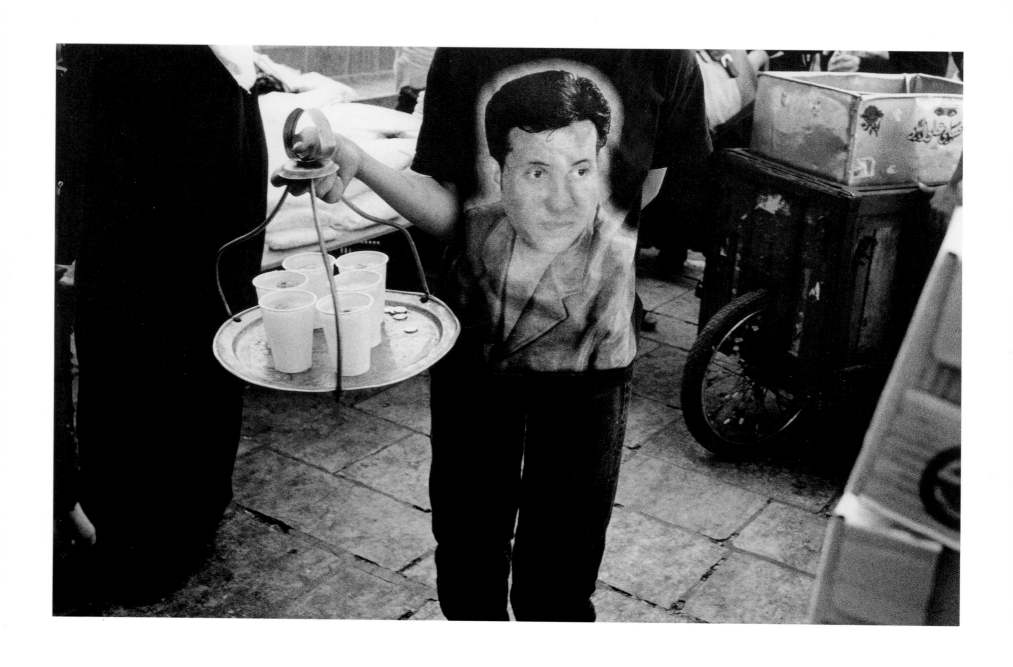

Jerusalem, 1997 ,ירושלים

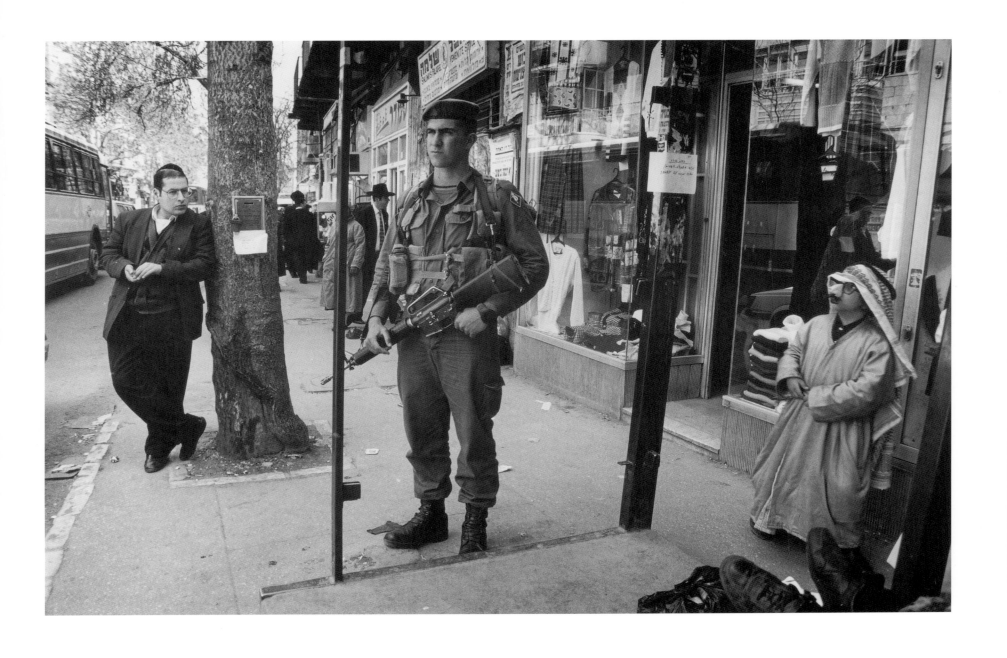

Jerusalem, 1995 ,ירושלים

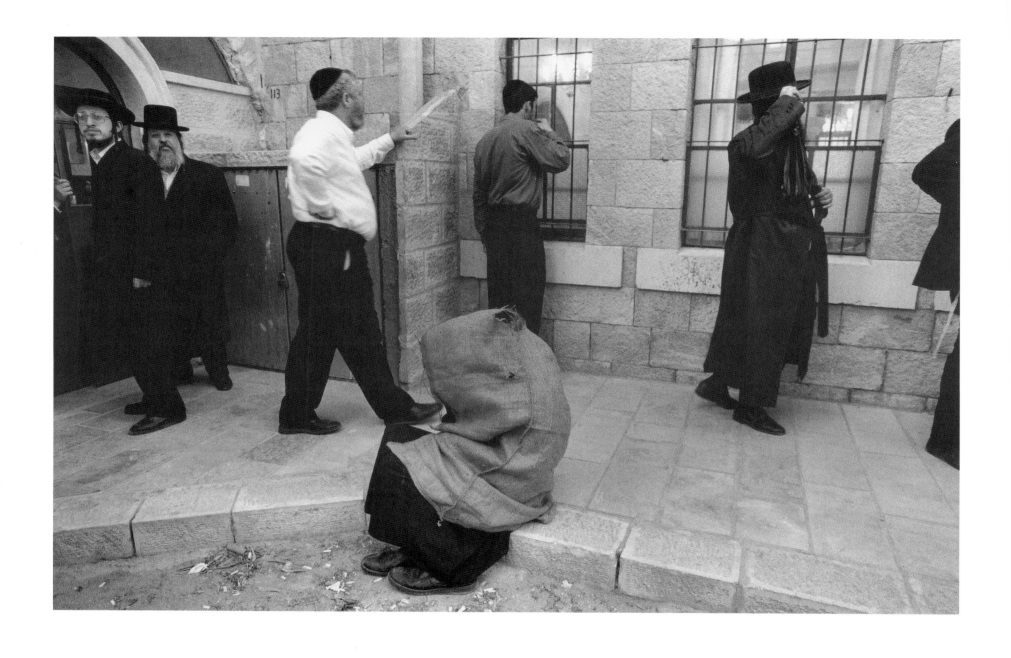

Jerusalem, 1998 ,ירושלים

69

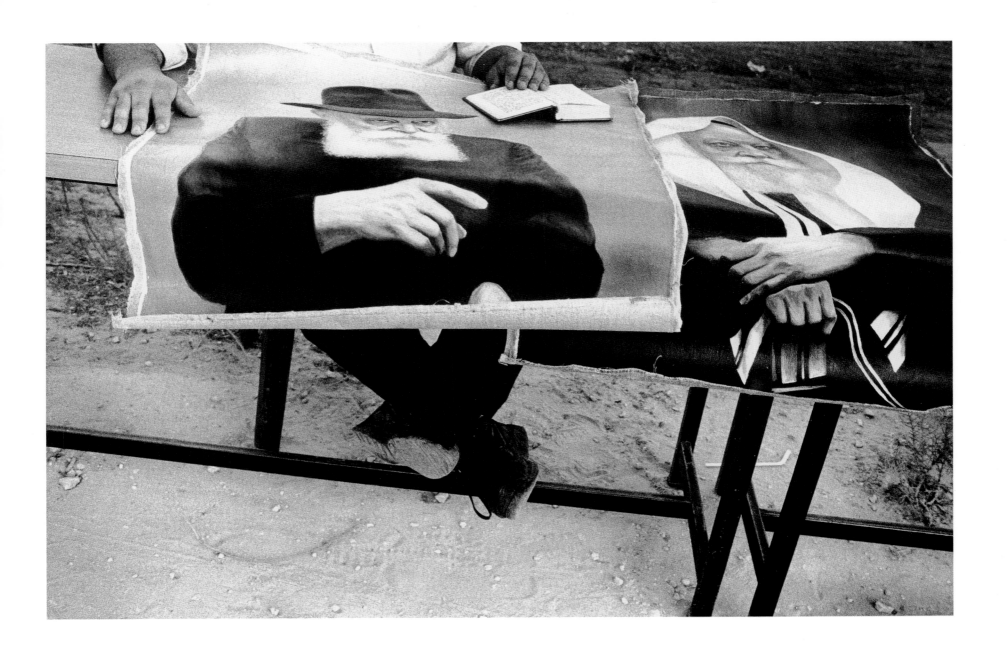

Kfar Chabad, 1998, כפר חבד

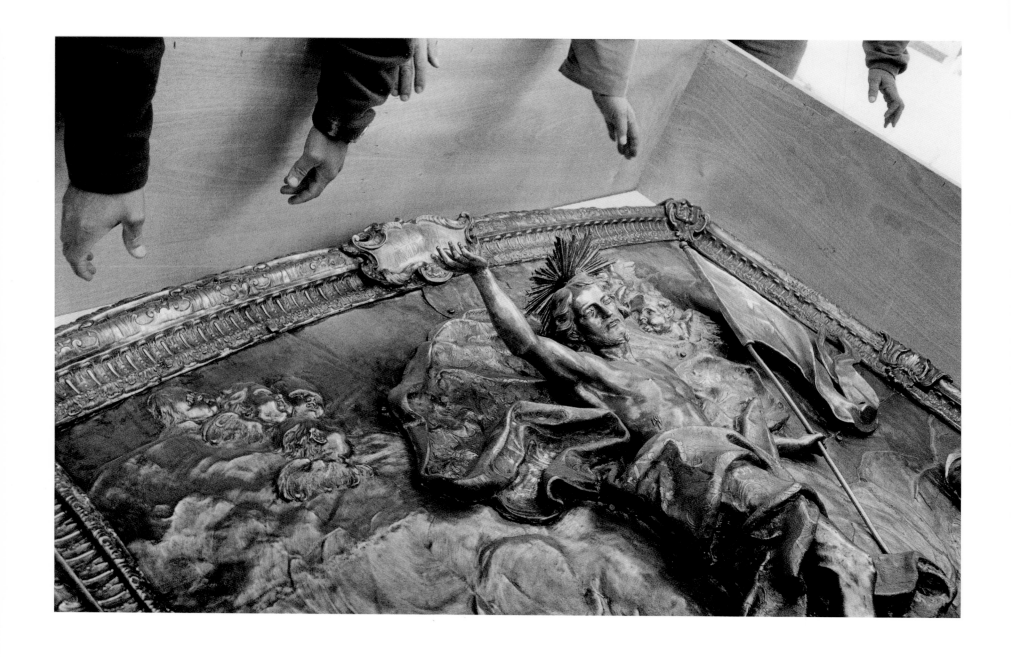

Jerusalem, 2000 ,ירושלים

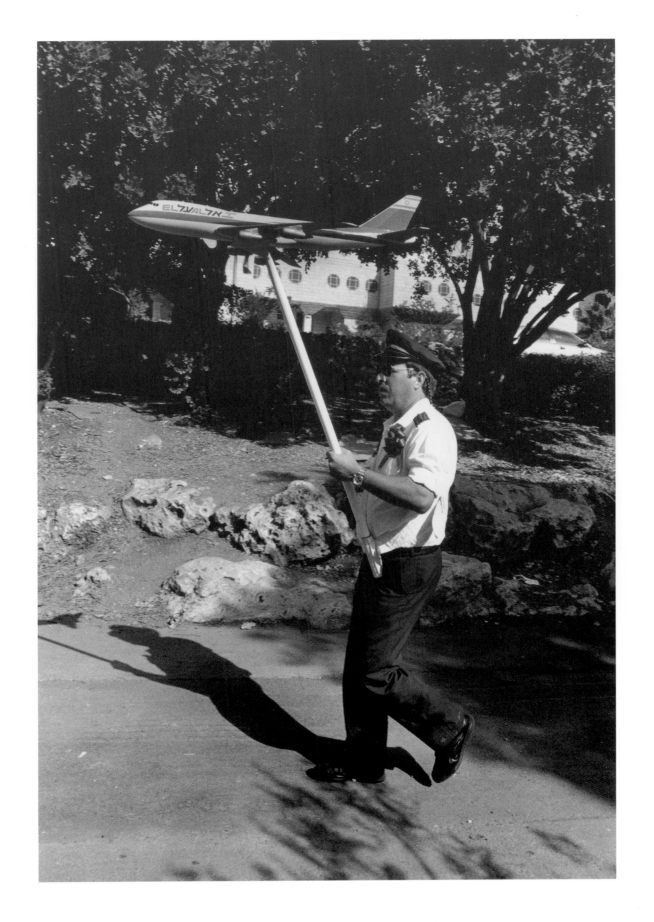

ירושלים, Jerusalem, 1994

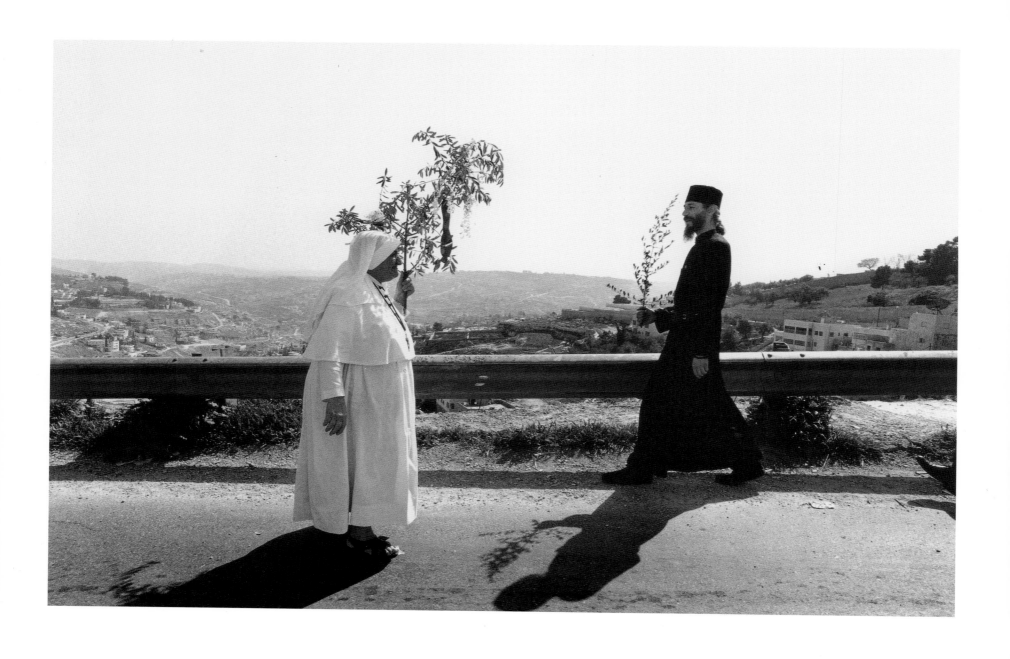

A'Sheik, 1997 ,א-שייח

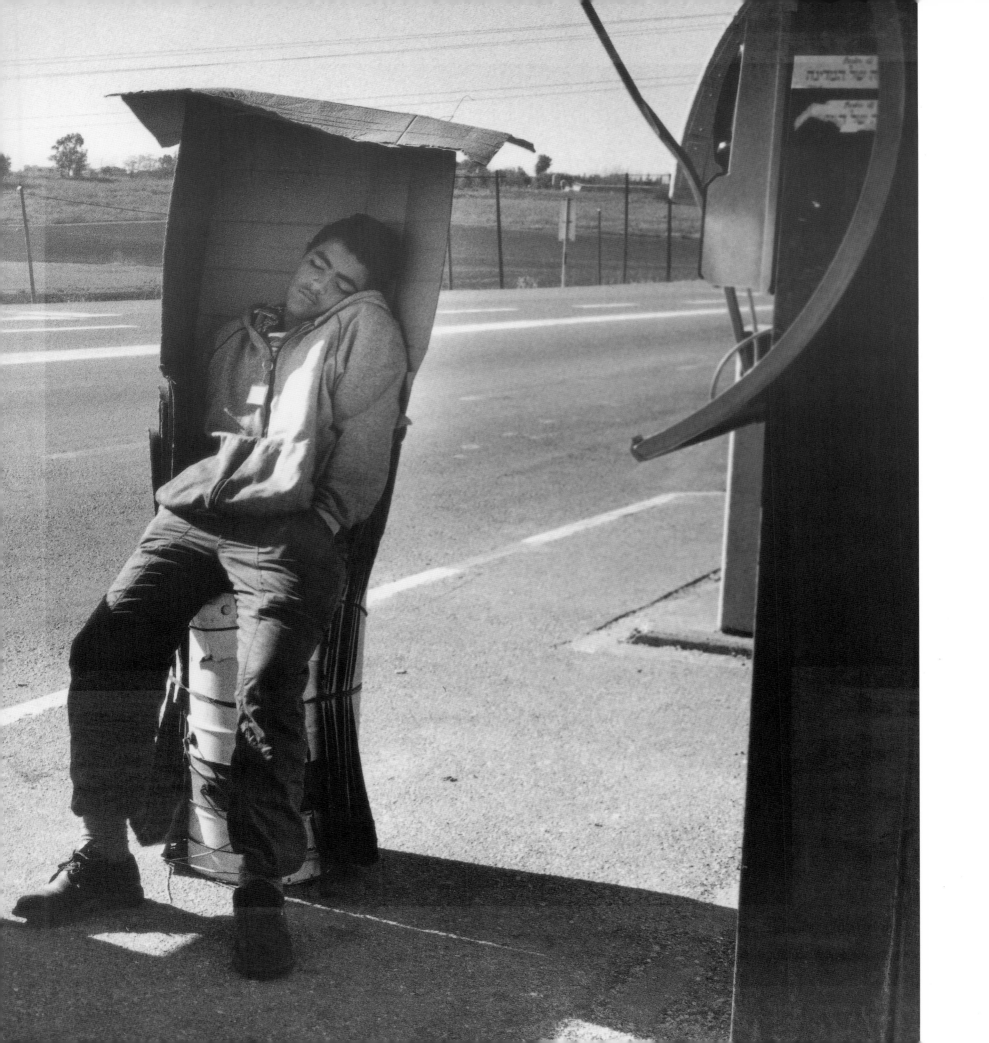

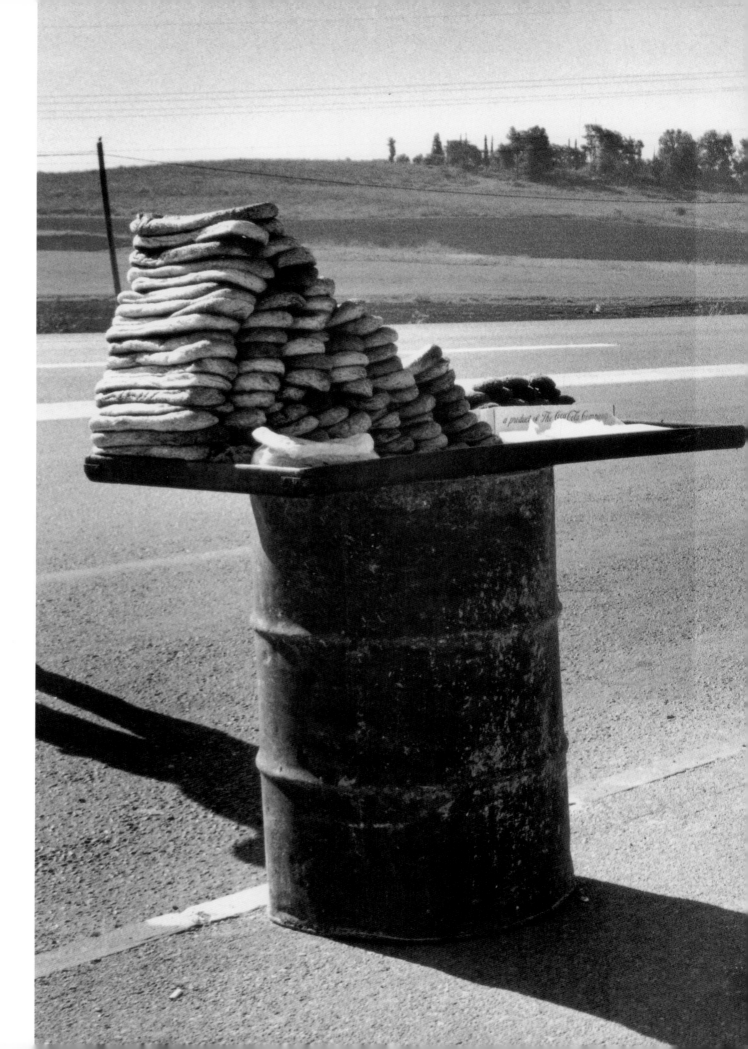

Nachshon Crossroads, 1997, צומת נחשון

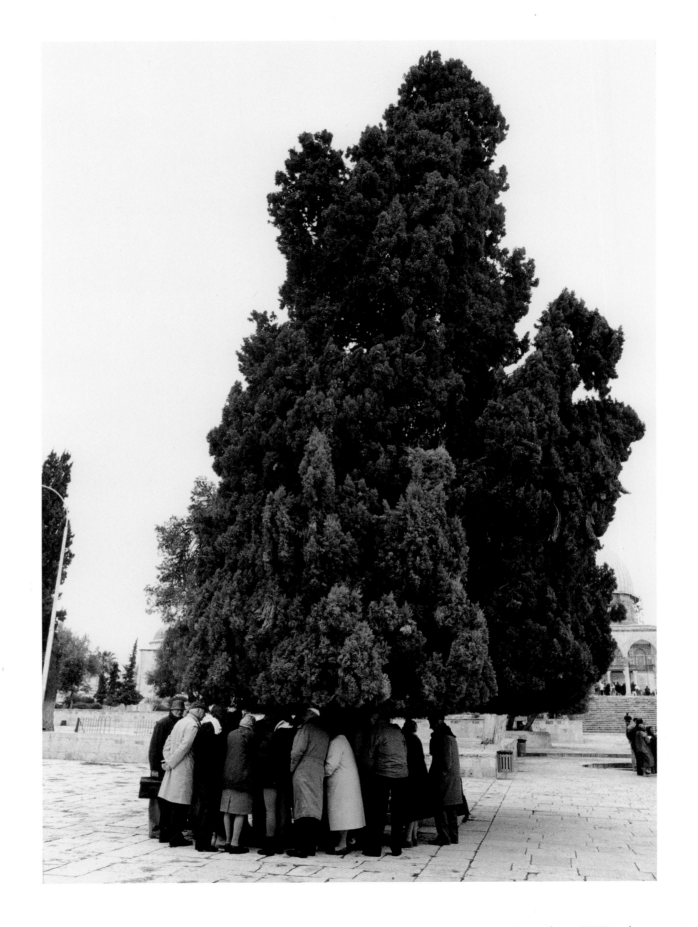

Jerusalem, 1996 ,ירושלים

Jerusalem, 1996 ,ירושלים

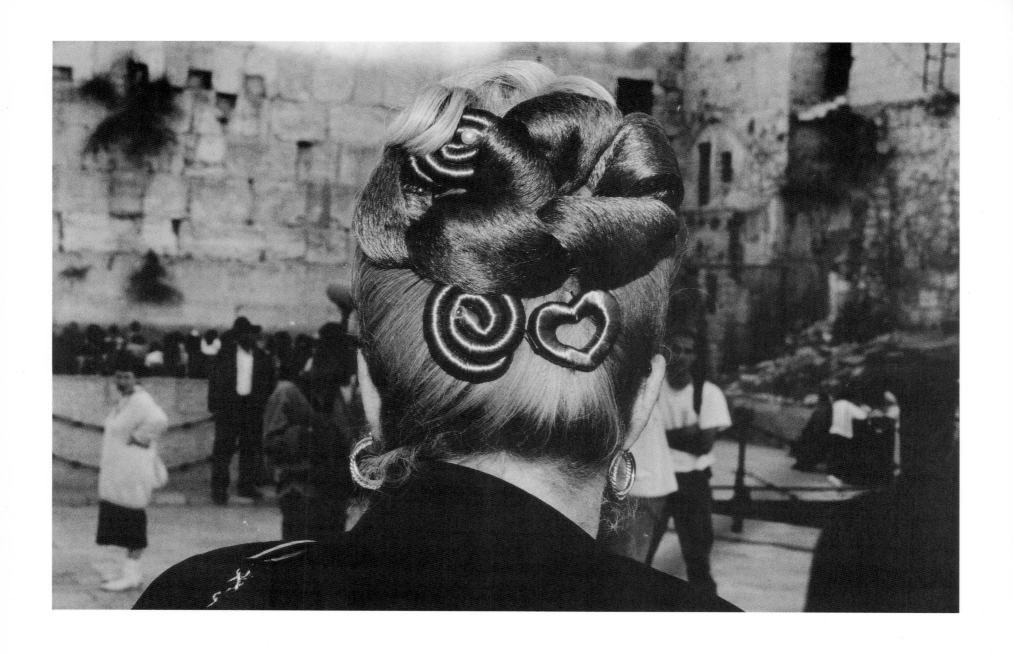

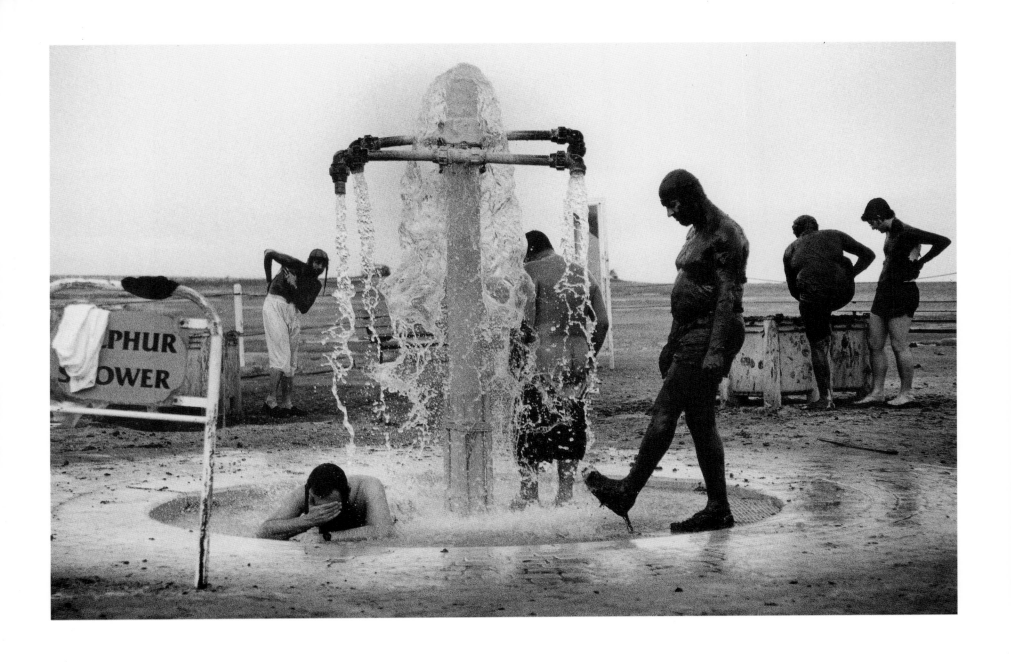

Ein Gedi, 1999 ,עין גדי

78

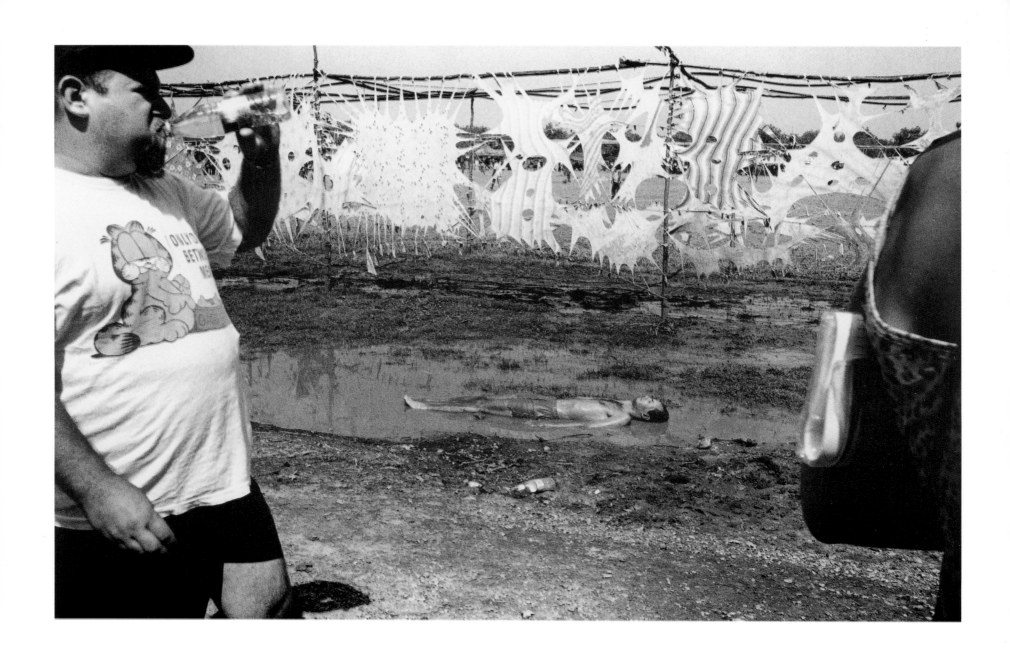

קבוץ מגל, Kibbutz Magal, 2000

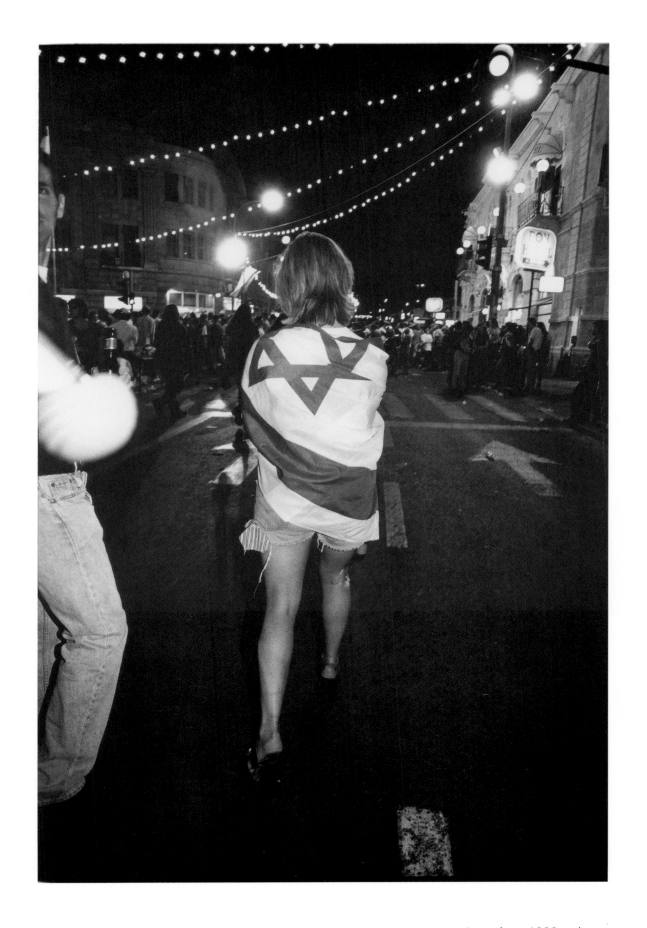

Jerusalem, 1998 ,ירושלים

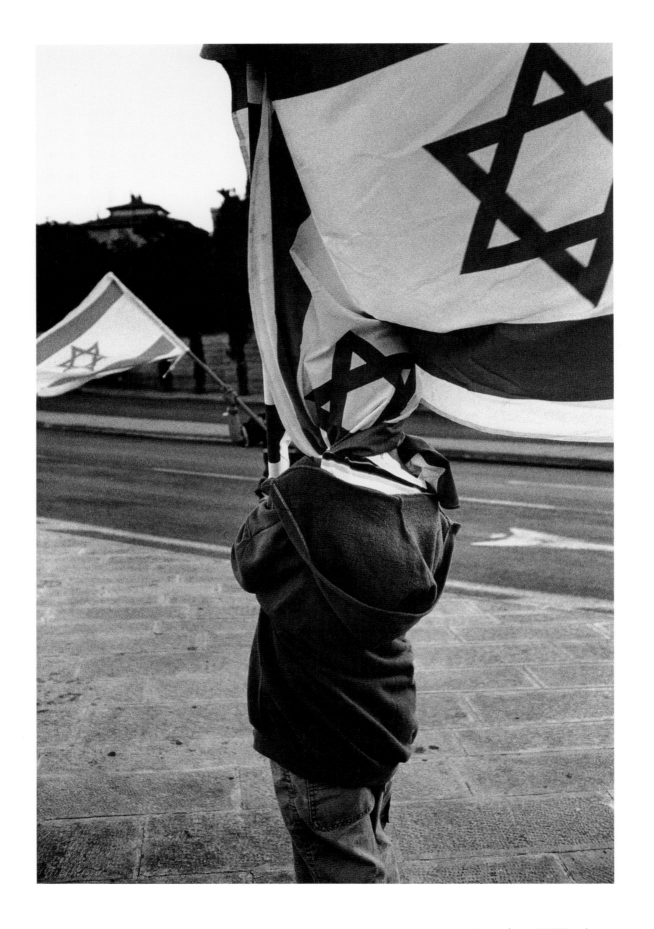

Jerusalem, 1997 ,ירושלים

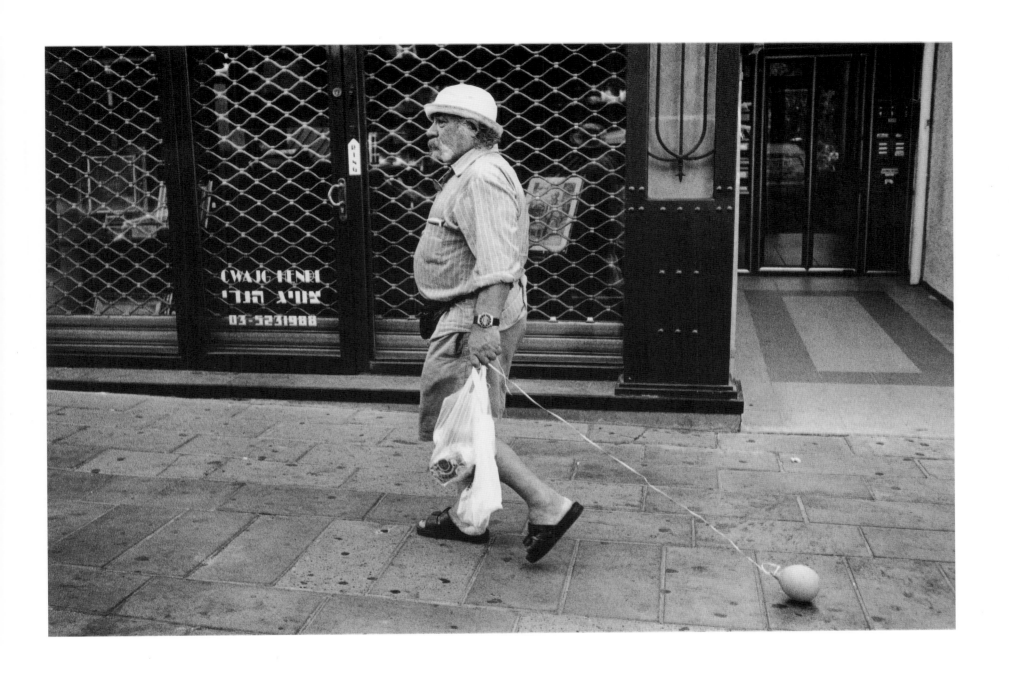

Tel Aviv, 2000 ,תל-אביב

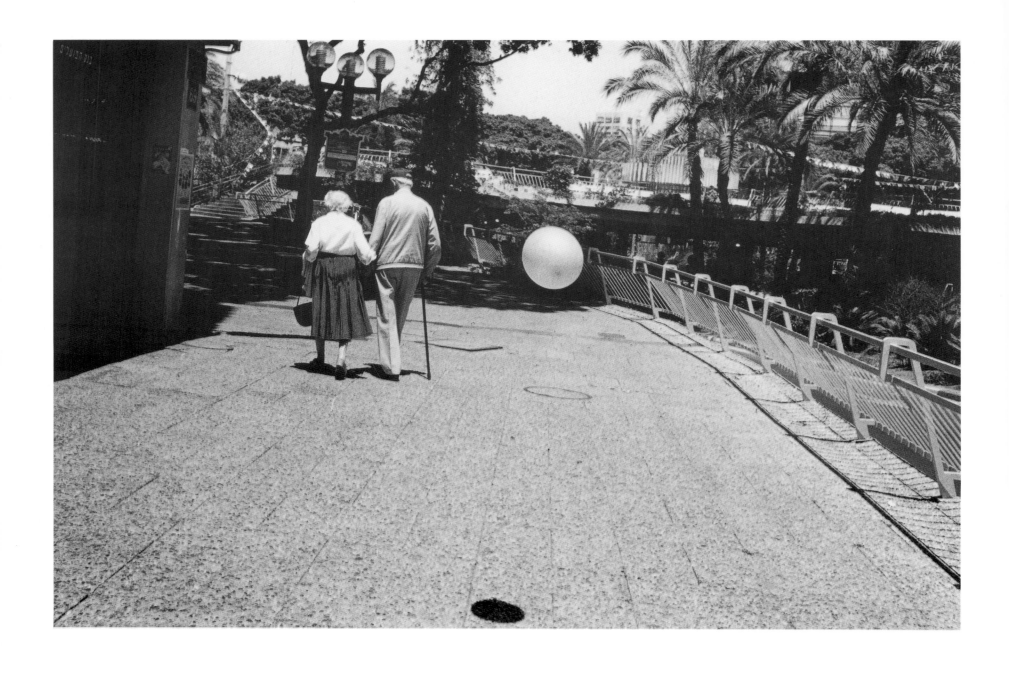

Tel Aviv, 2000 ,תל-אביב

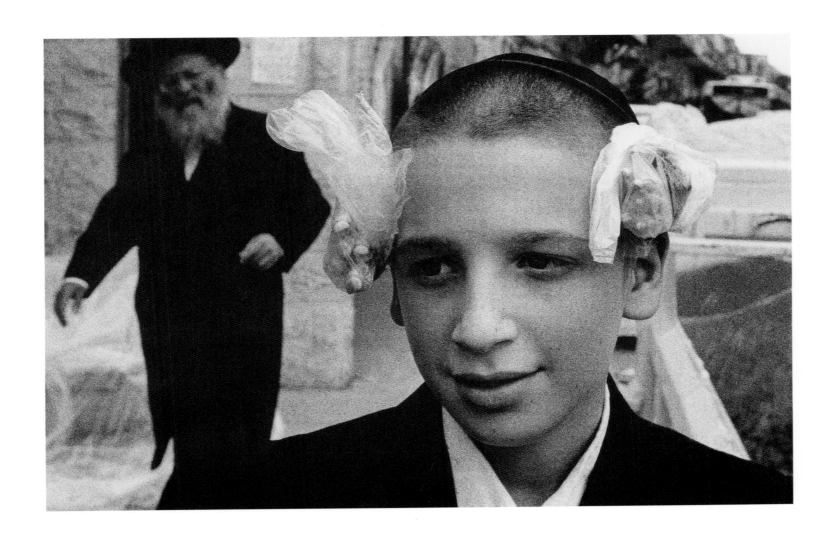

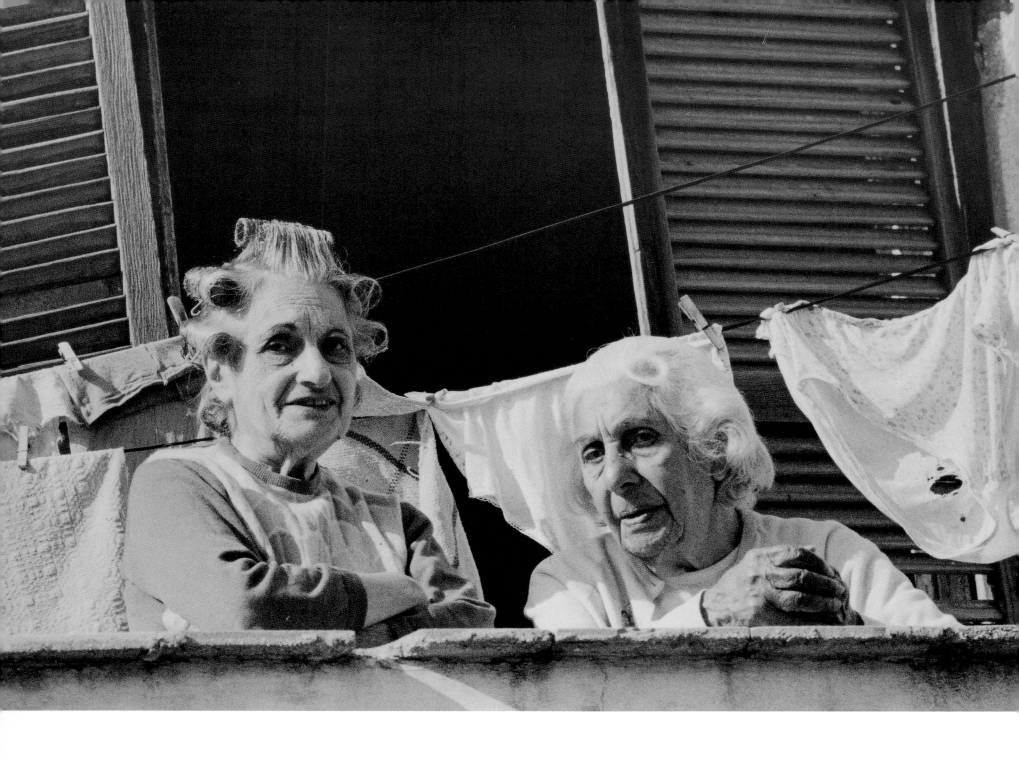

תל-אביב, Tel Aviv, 1996

שירותים
נשים

שרותיון
בתי שימוש ניידים להשכרה
טל: 03-6818052 פקס: 03-6818152

שרותים

ירושלים, Jerusalem, 1998

86

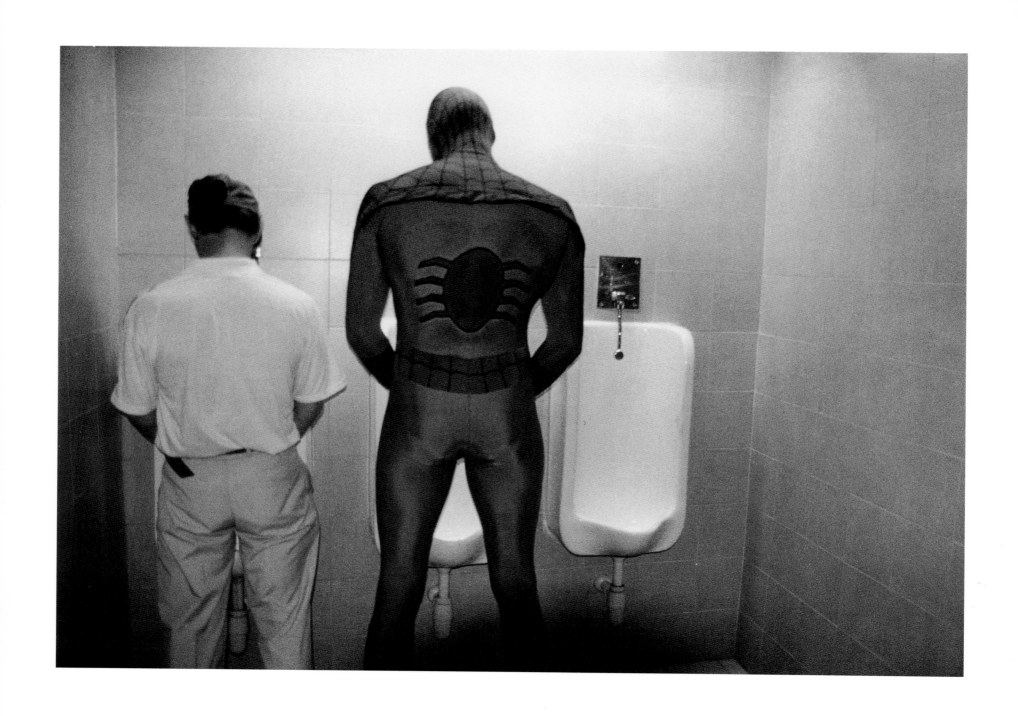

Jerusalem, 1996 ,ירושלים

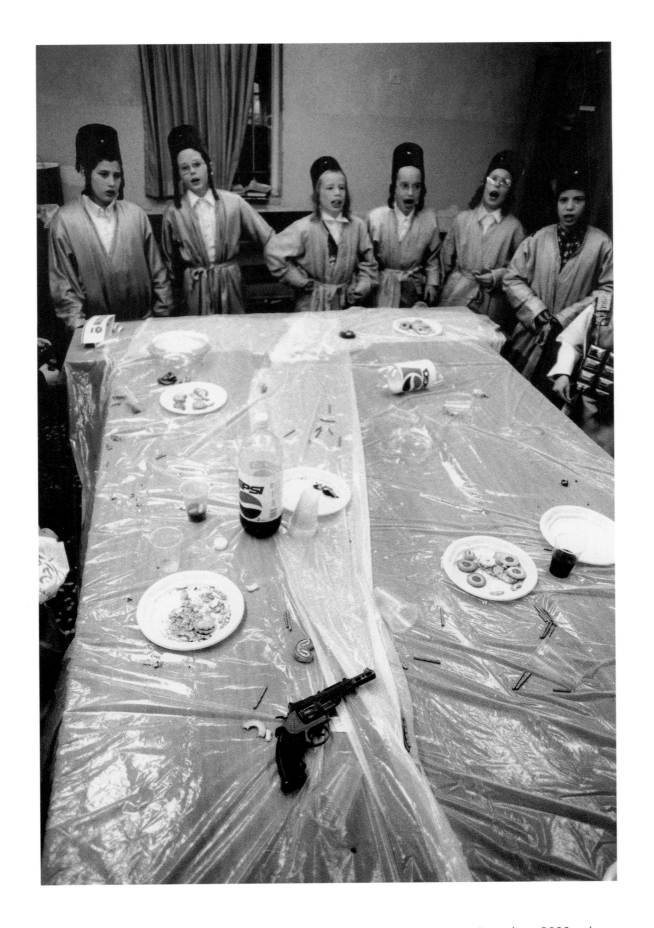

ירושלים, Jerusalem, 2000

Jerusalem, 1999 ,ירושלים

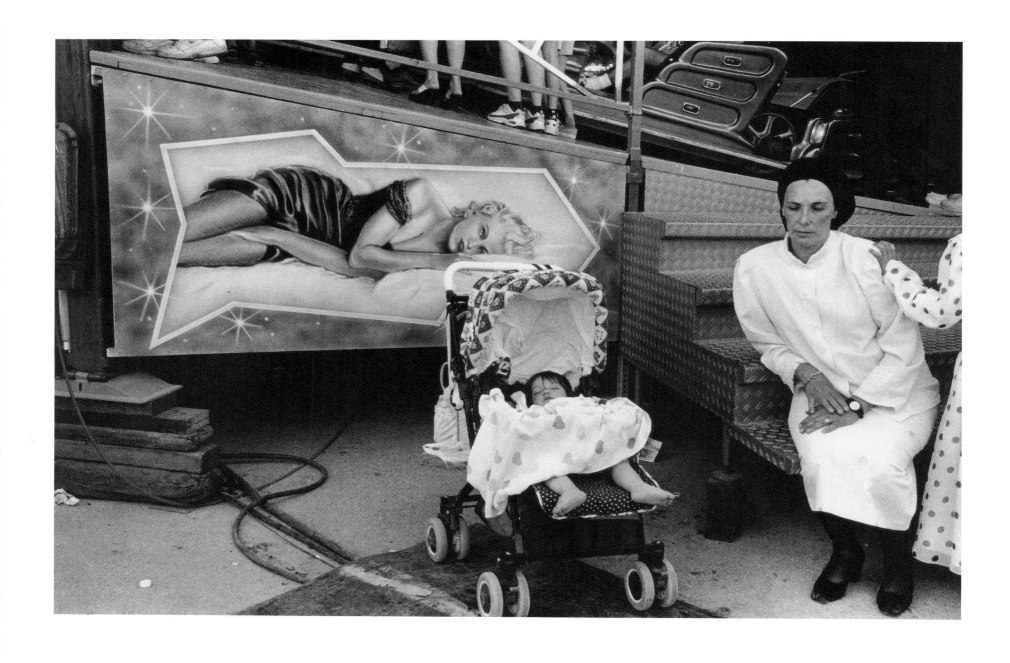

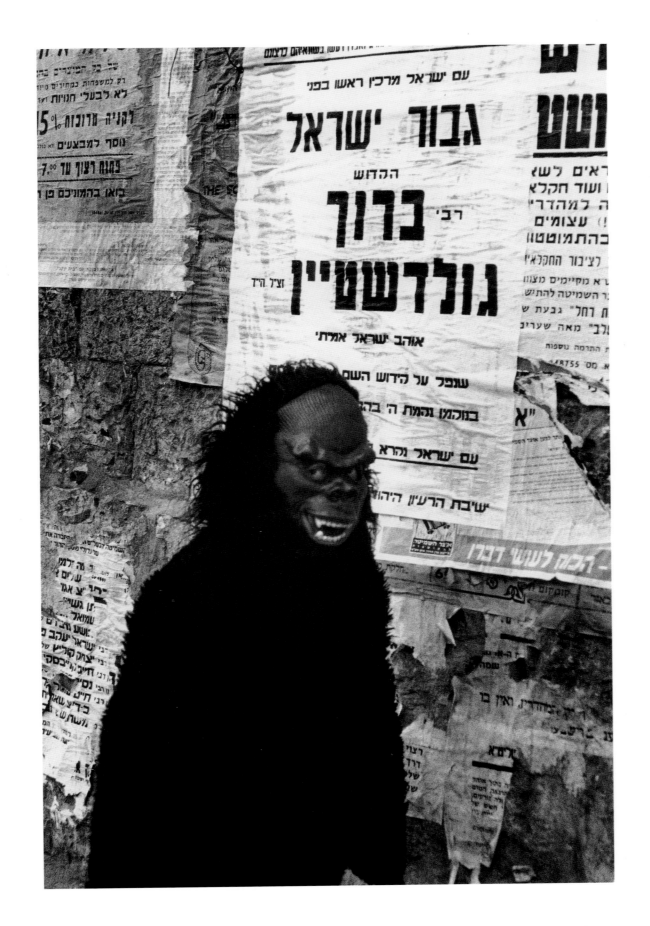

ירושלים, Jerusalem, 1994

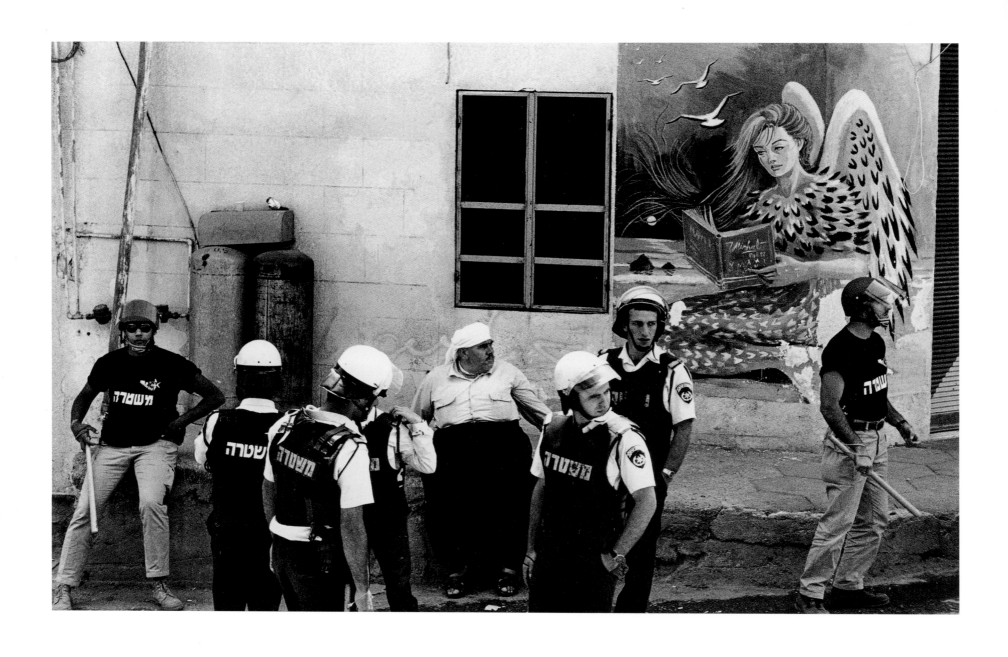

Majdal Shams, 1990 ,מג'דל שמס

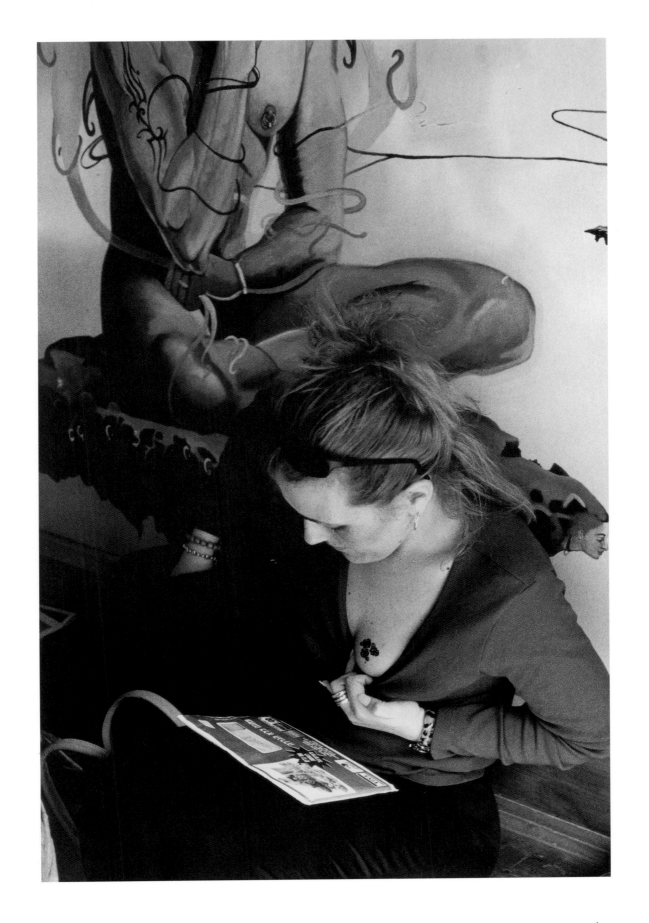

תל-אביב, Tel Aviv, 2000

92

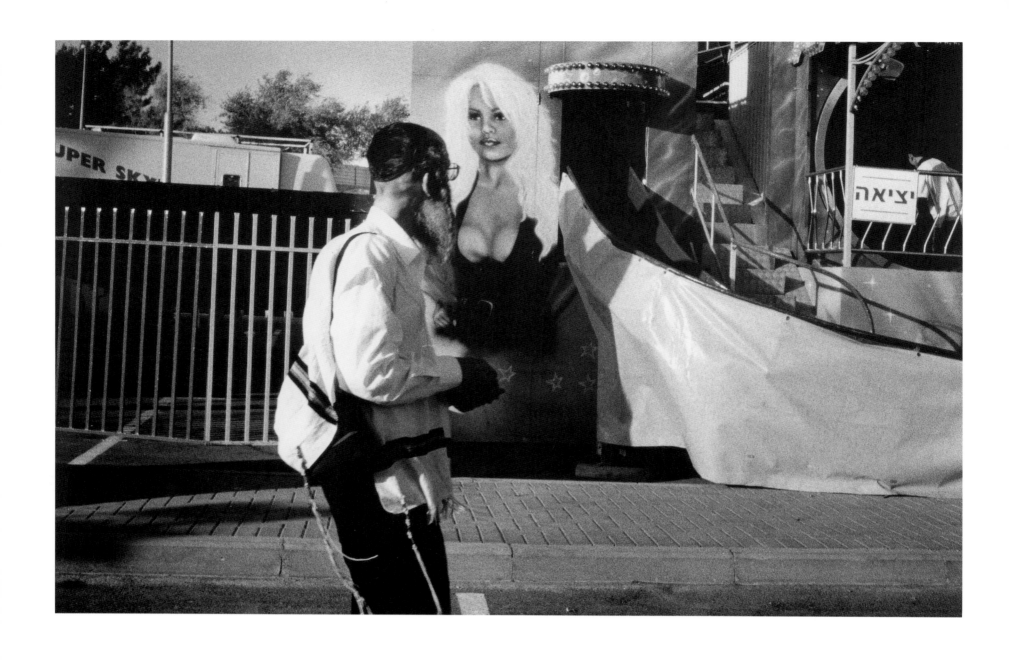

ירושלים, Jerusalem, 1999

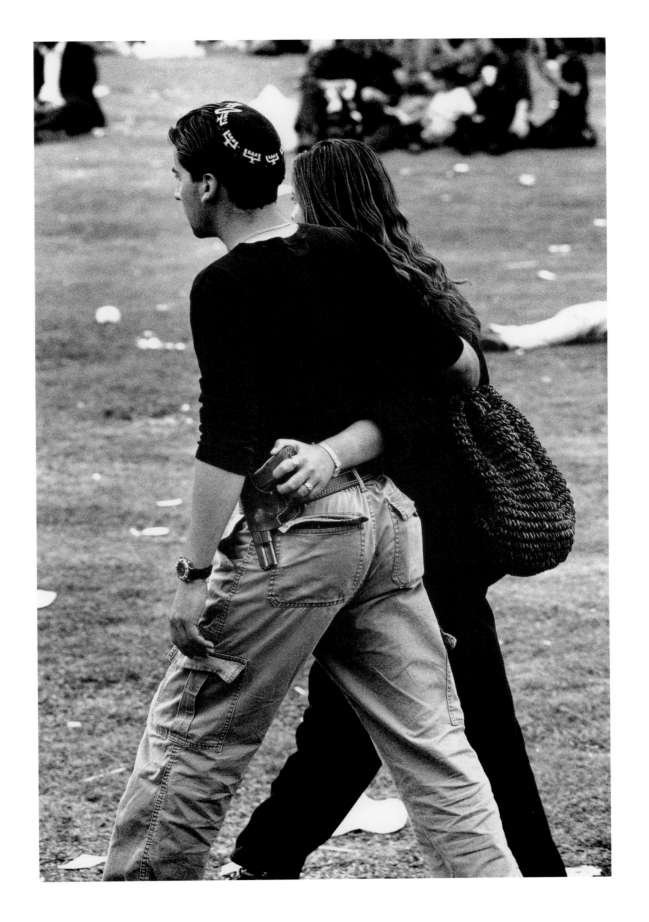

Jerusalem, 1997 ,ירושלים

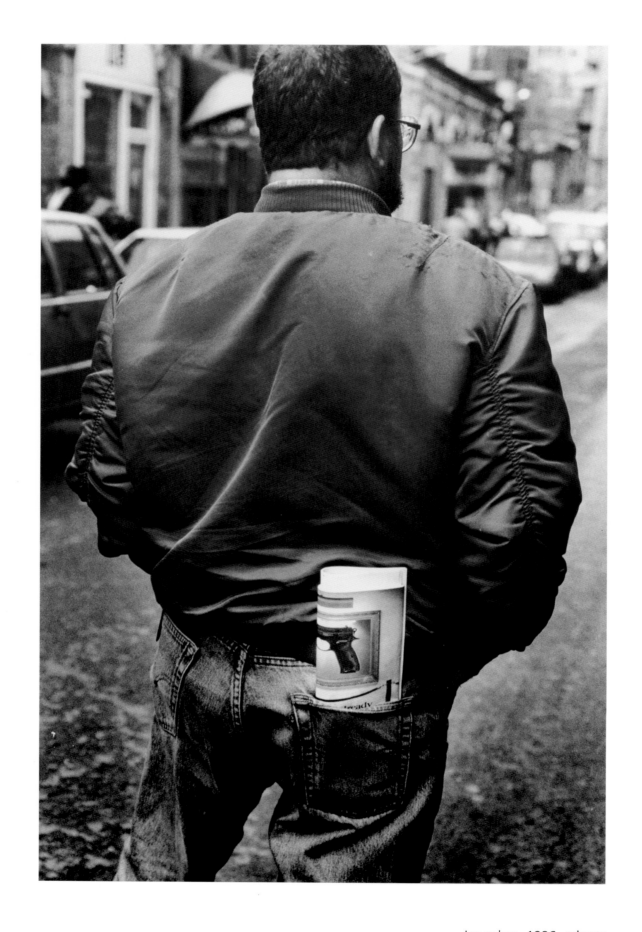

Jerusalem, 1996 ,ירושלים

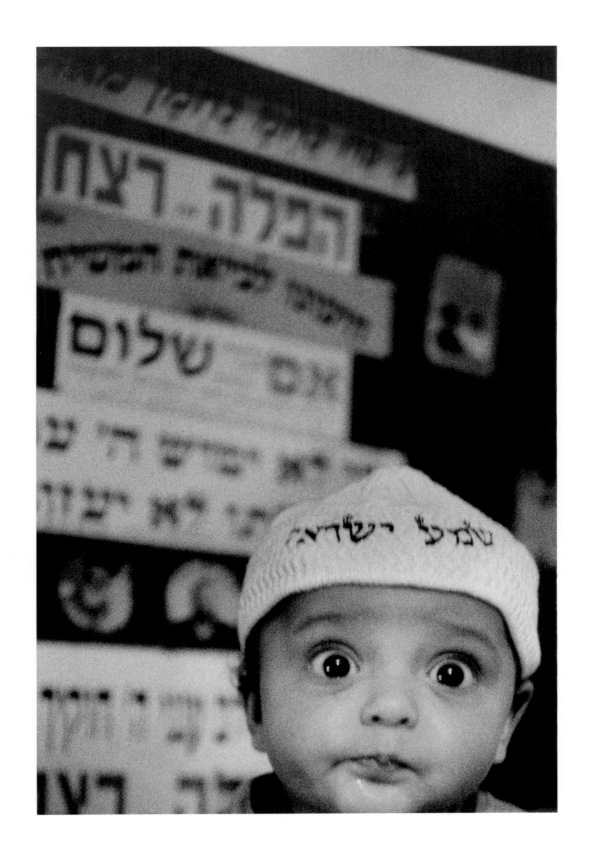

רמלה, Ramla, 2000

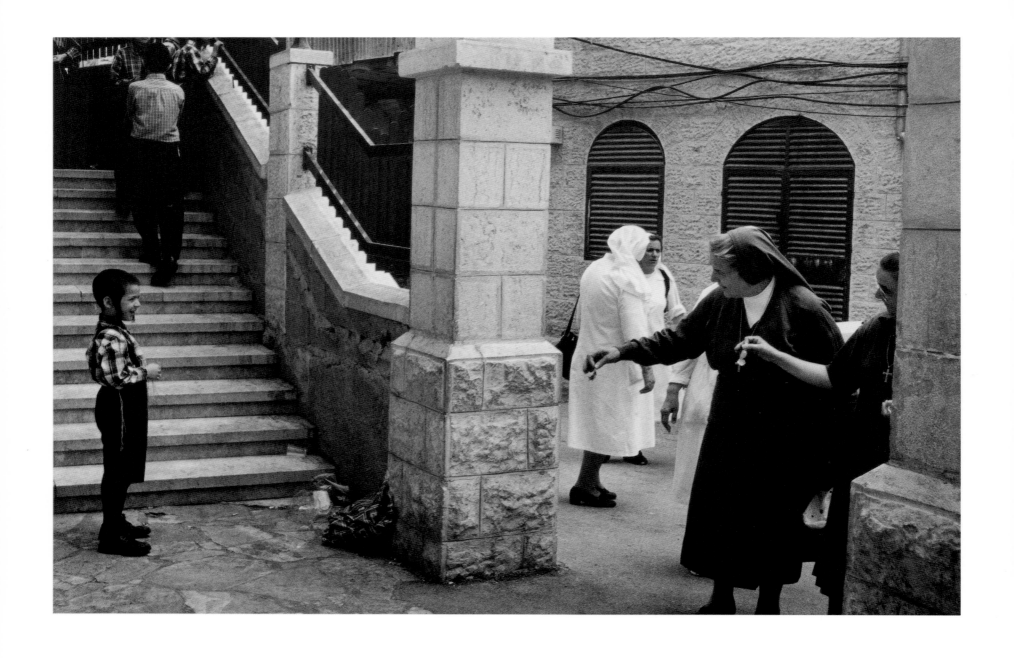

ירושלים, Jerusalem, 1999

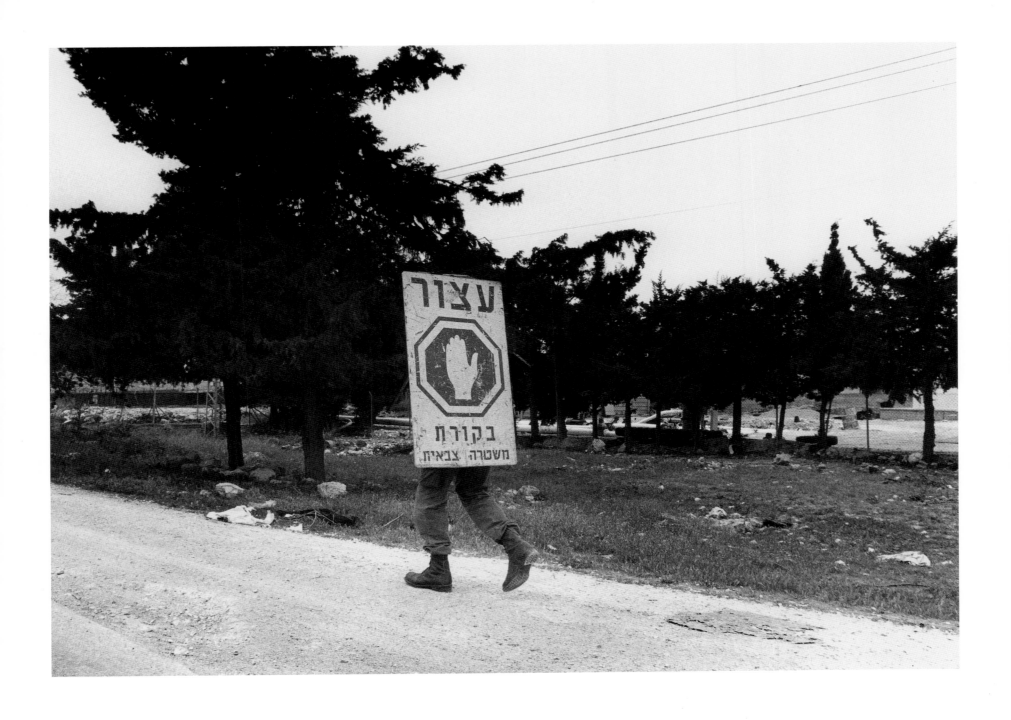

Shkhem-Tapuah Road, 1991 ,כביש שכם-תפוח

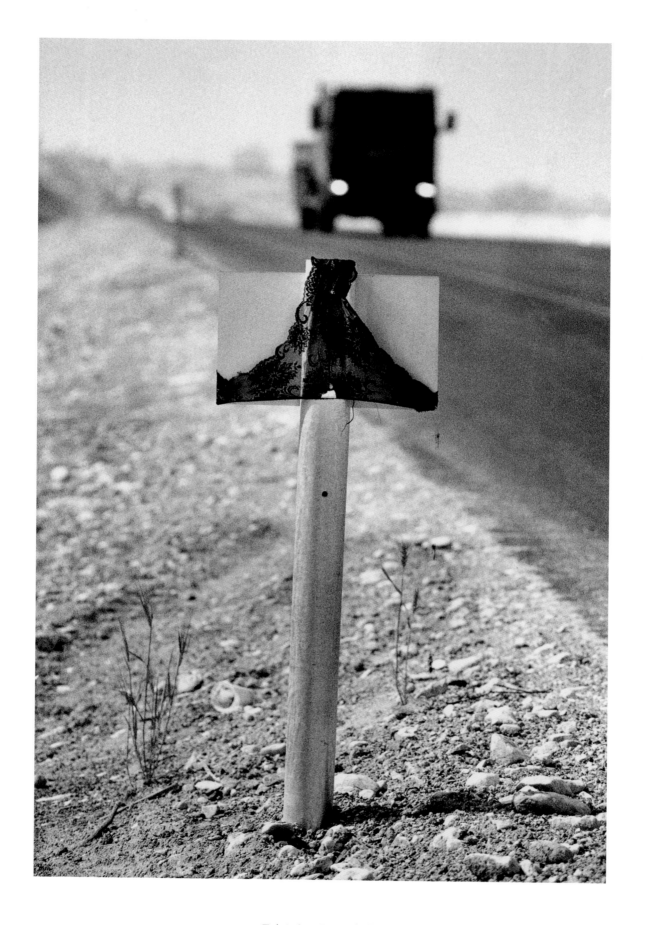

Tel Aviv - Beer Sheba Road, 2000 ,כביש תל-אביב - באר שבע

99

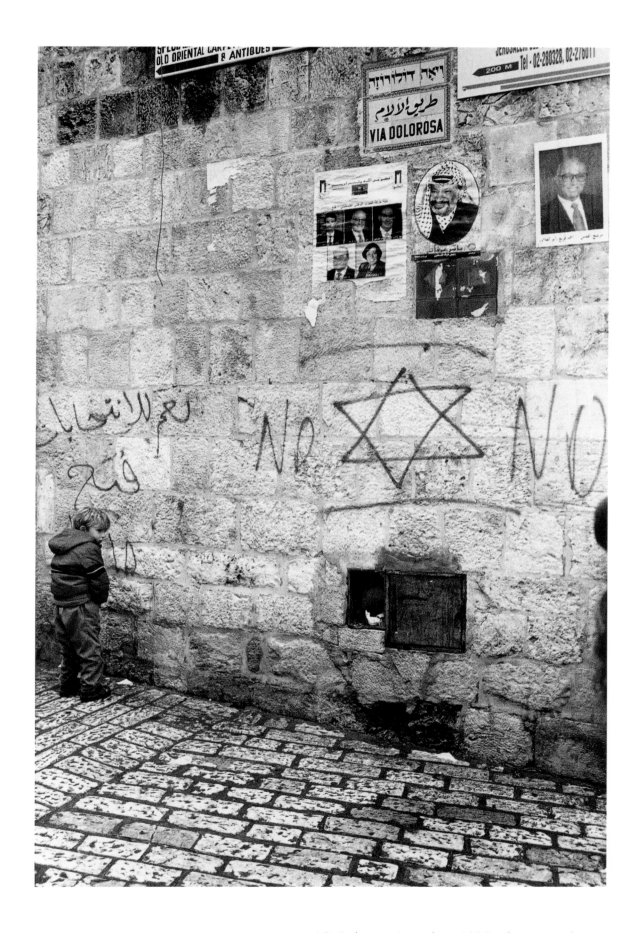

Via Dolorosa, Jerusalem, 1996 ,ויה דולורוזה, ירושלים

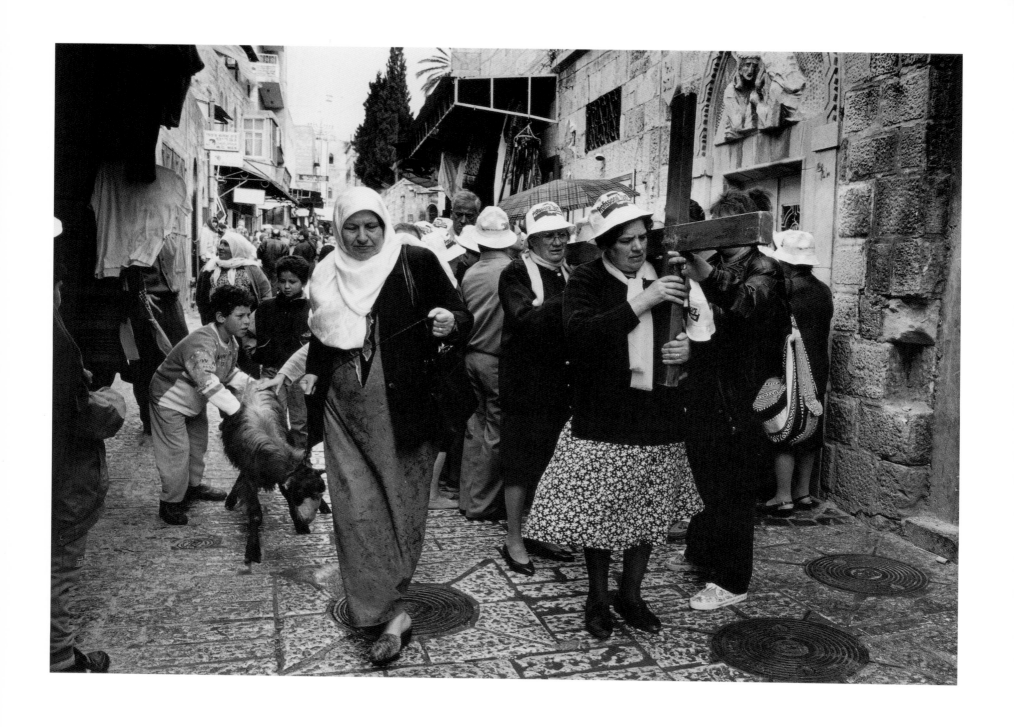

Via Dolorosa, Jerusalem, 1997 ‏ויה דולורוזה, ירושלים,

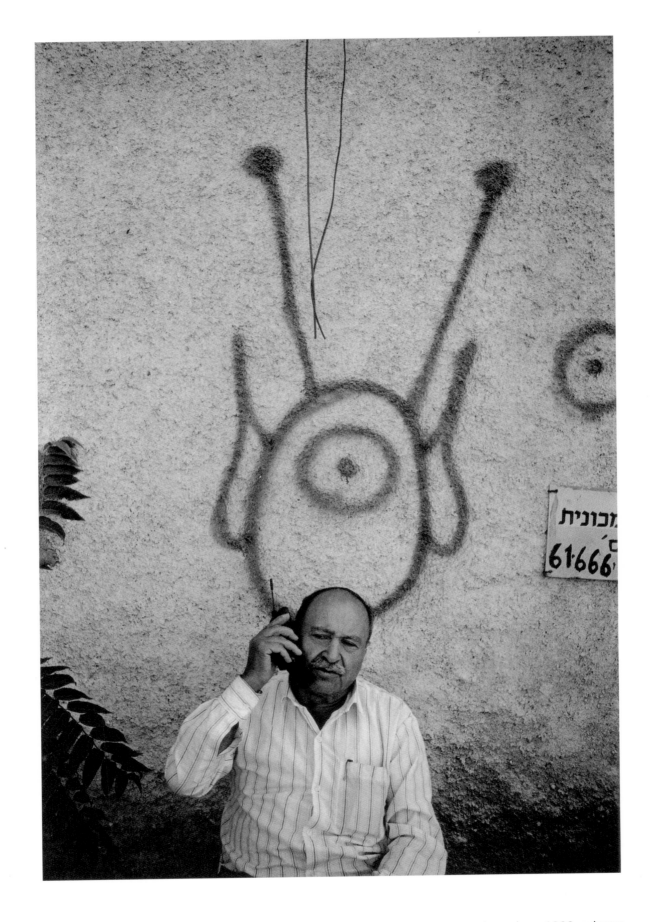

ירושלים, Jerusalem, 1999

102

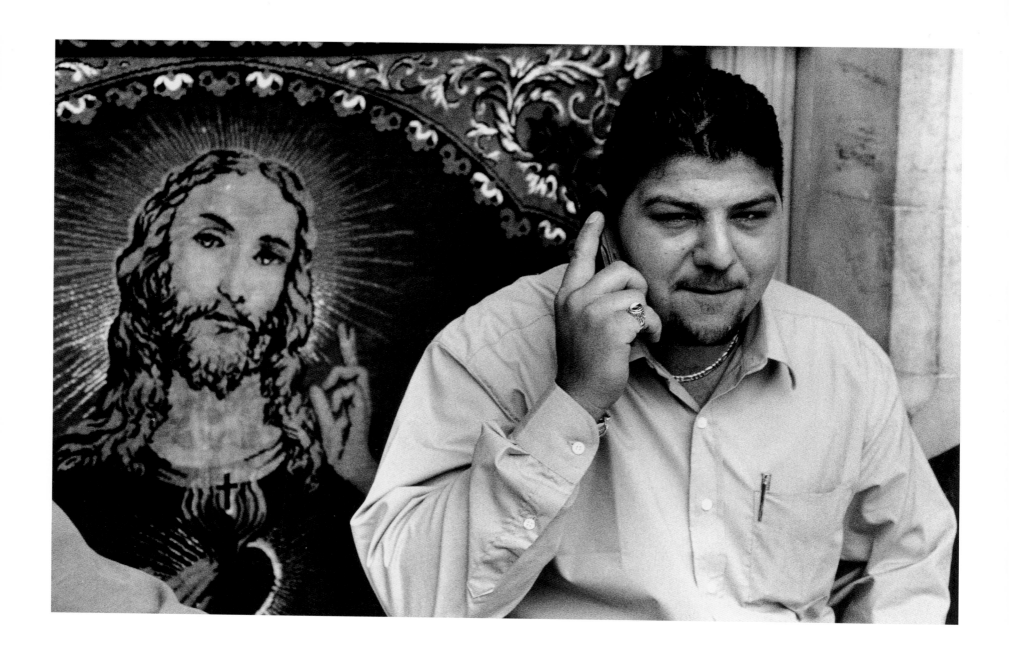

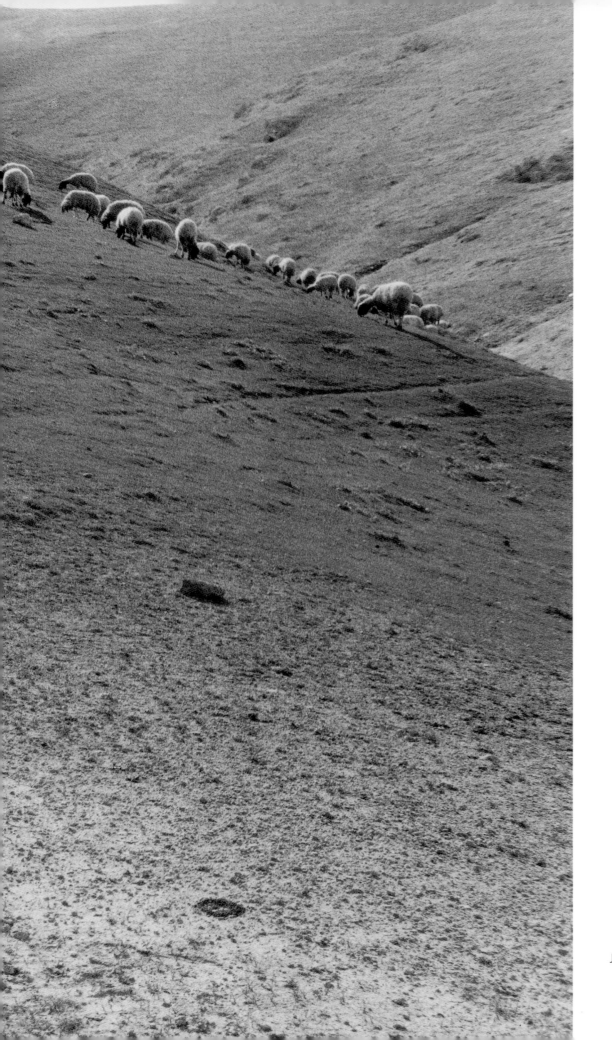

Jerusalem-Jericho Road, 1998 כביש ירושלים-יריחו,

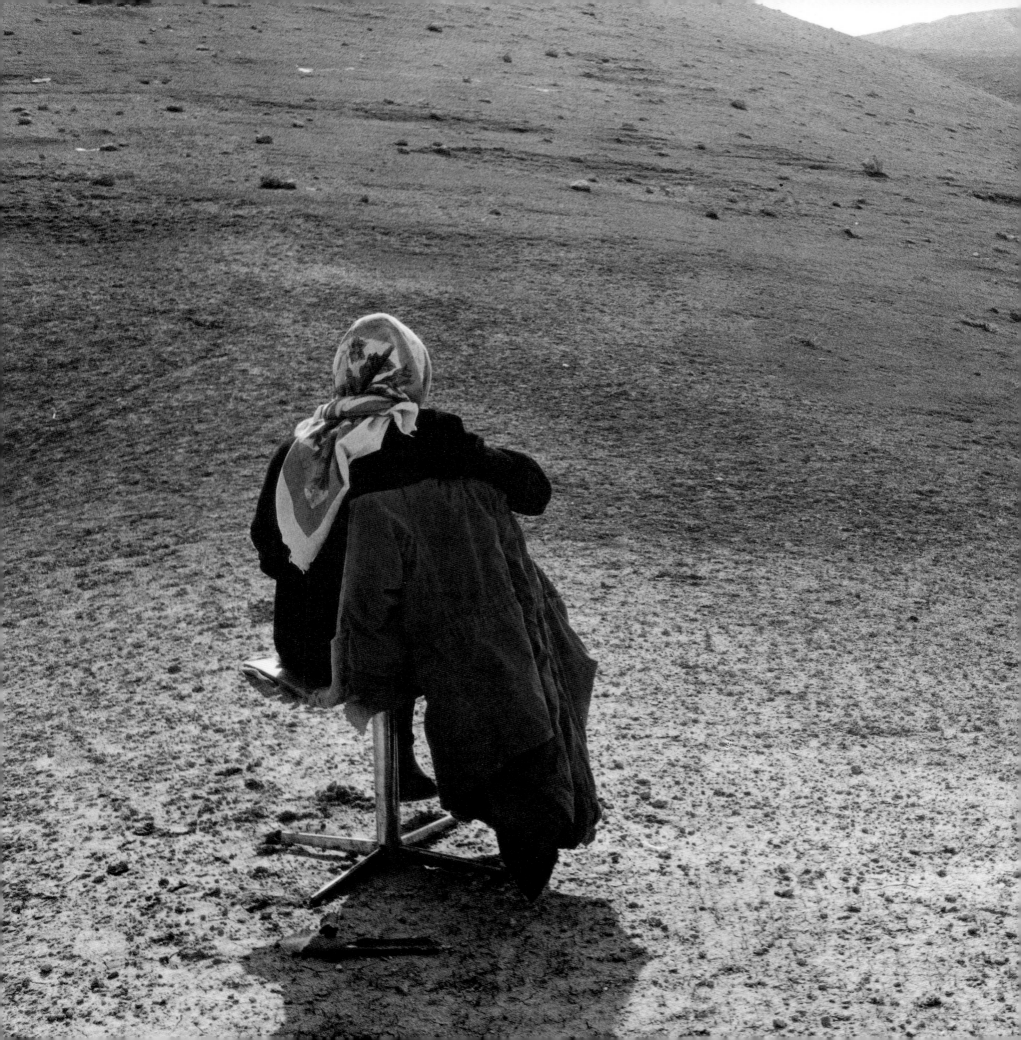

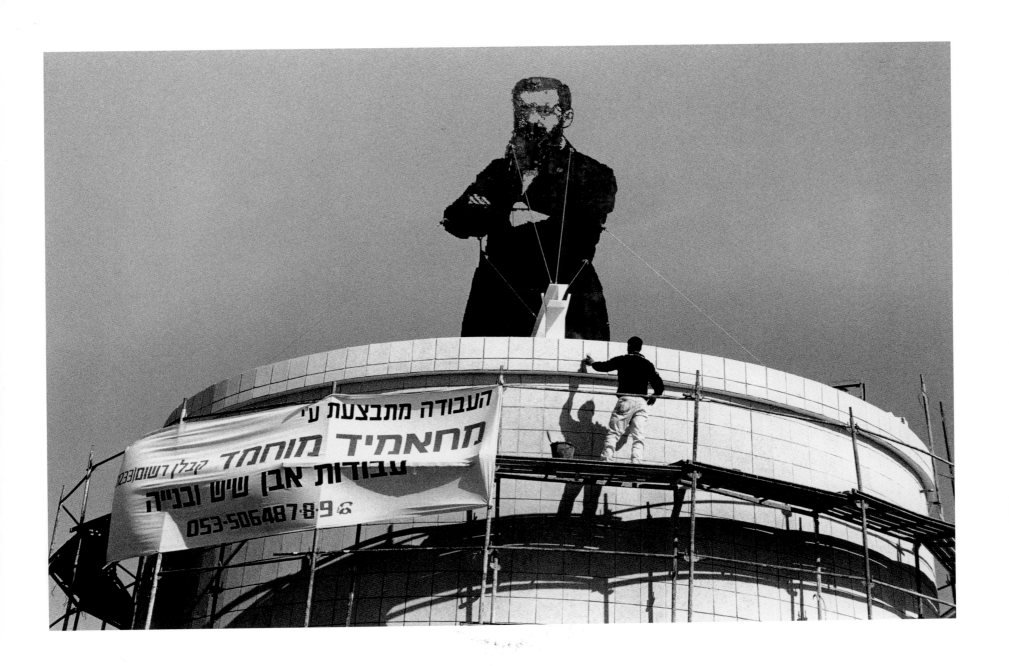

Herzlia, 1998 ,הרצליה

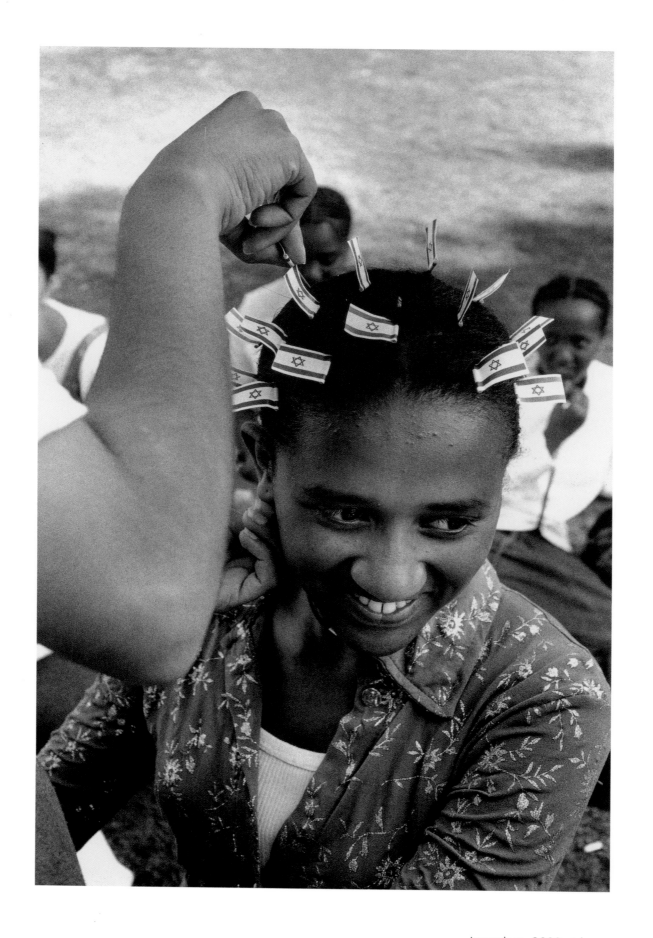

Jerusalem, 2000 ,ירושלים

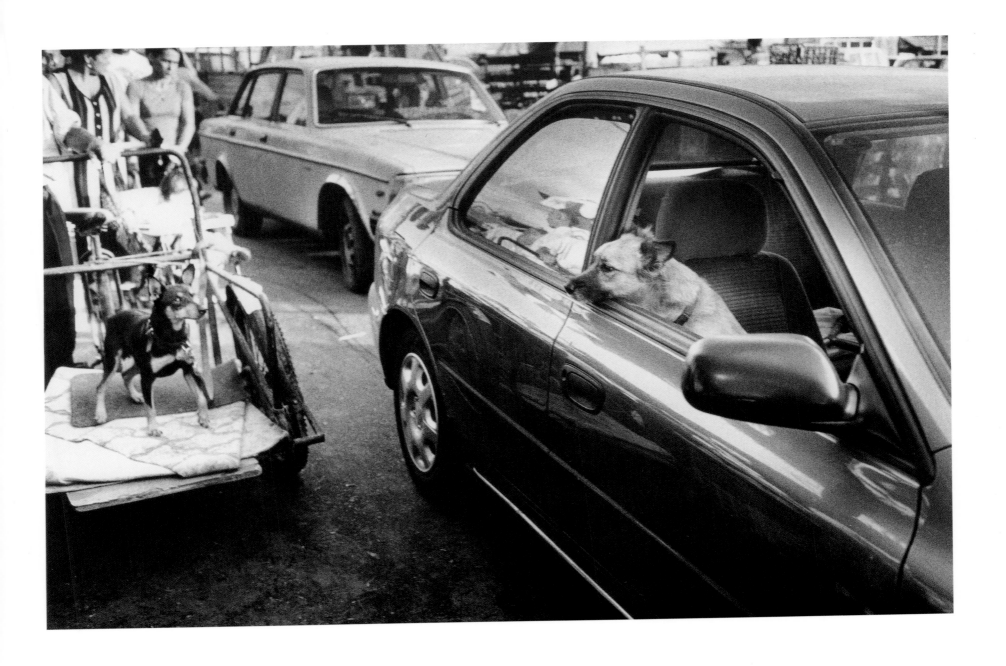

תל-אביב, Tel Aviv, 1999

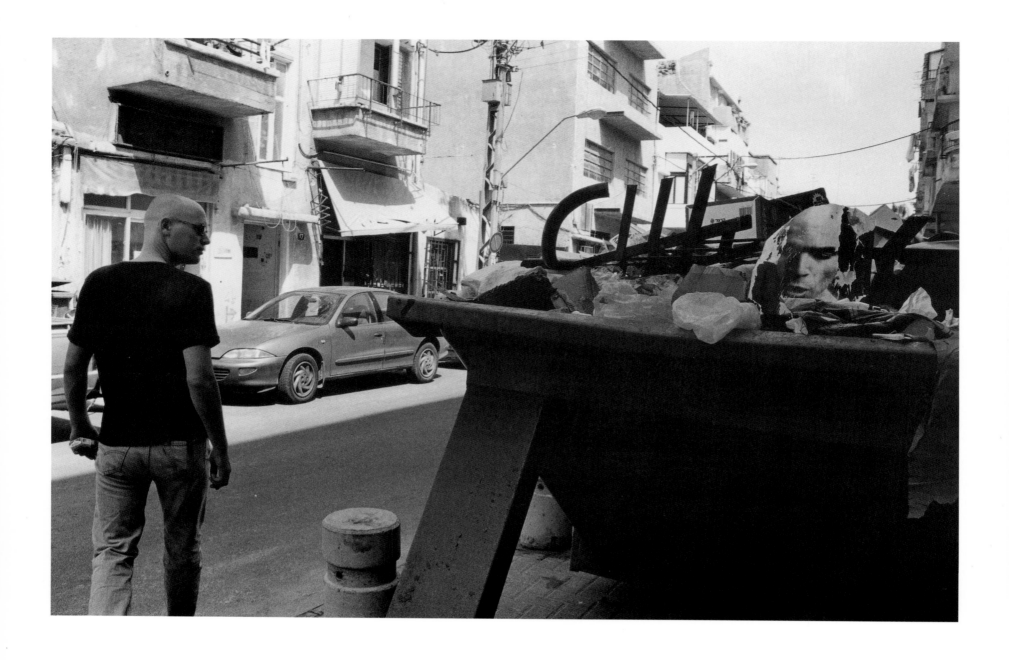

תל-אביב, Tel Aviv, 1999

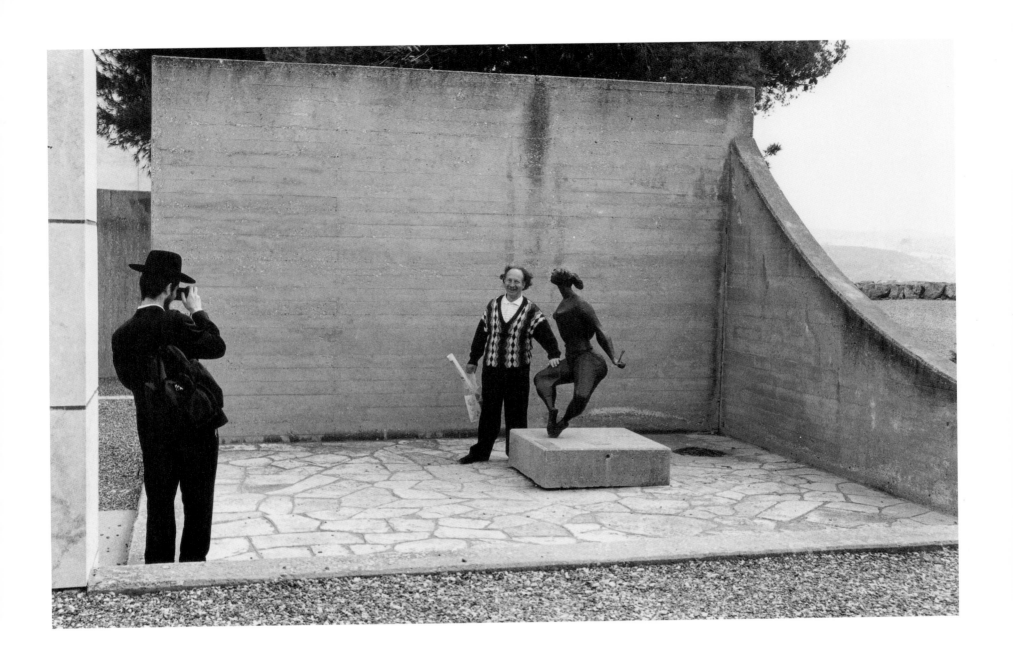

Jerusalem, 1999 ,ירושלים

110

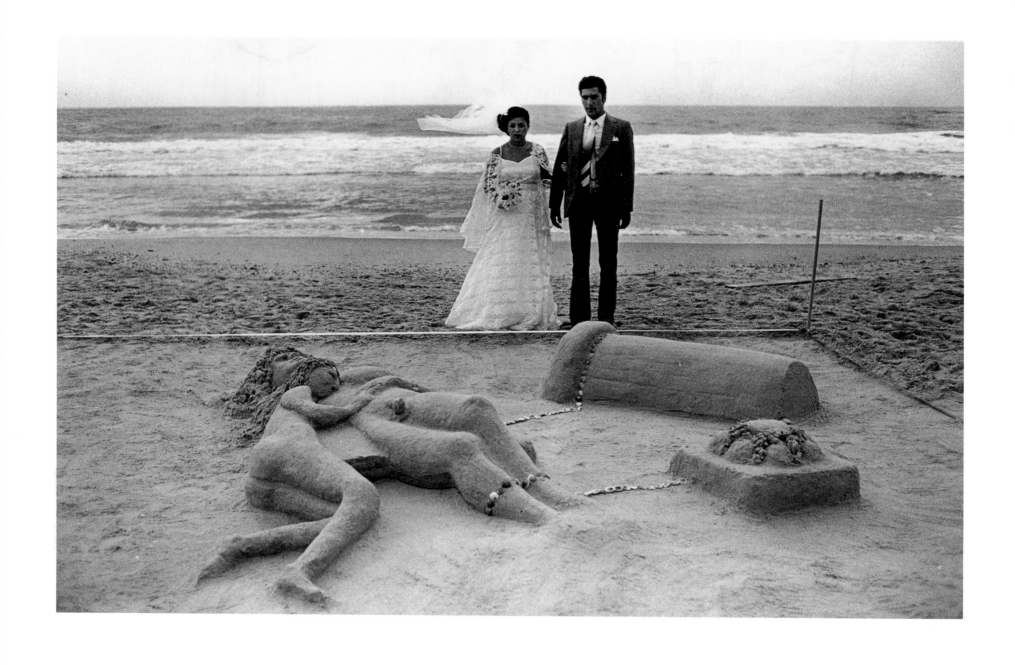

Ashkelon, 1983 ,אשקלון

111

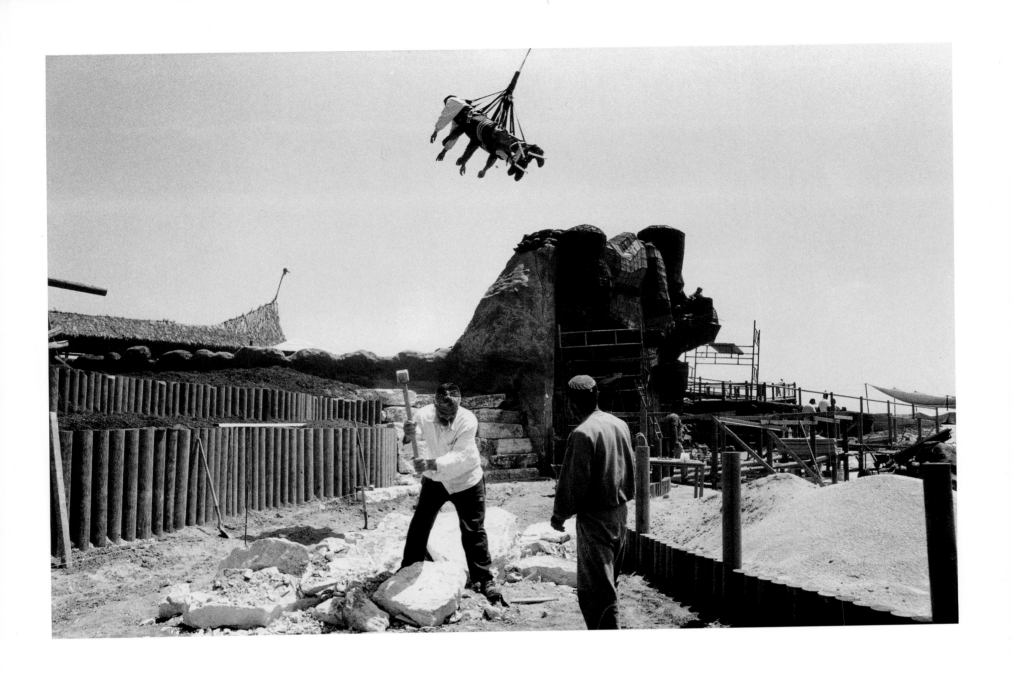

Rishon Le Zion, 1998 ,ראשון לציון

112

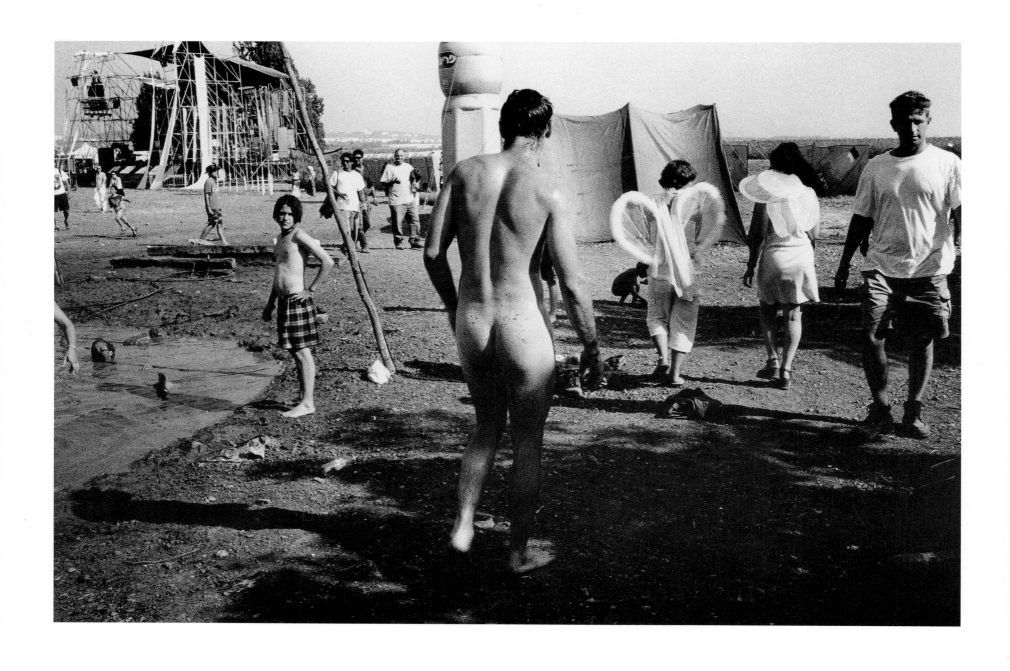

Kibbutz Magal, 2000 ,קבוץ מגל

113

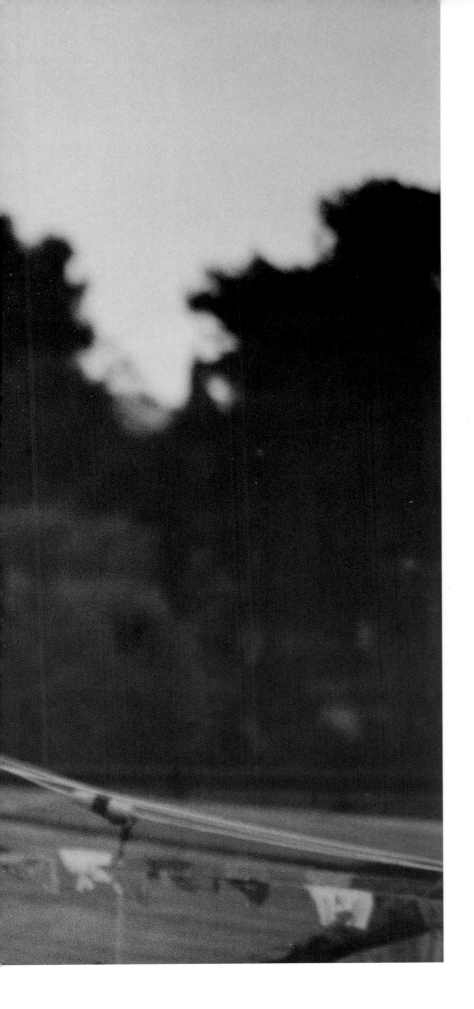

Jerusalem, 1997 ‏,ירושלים

9

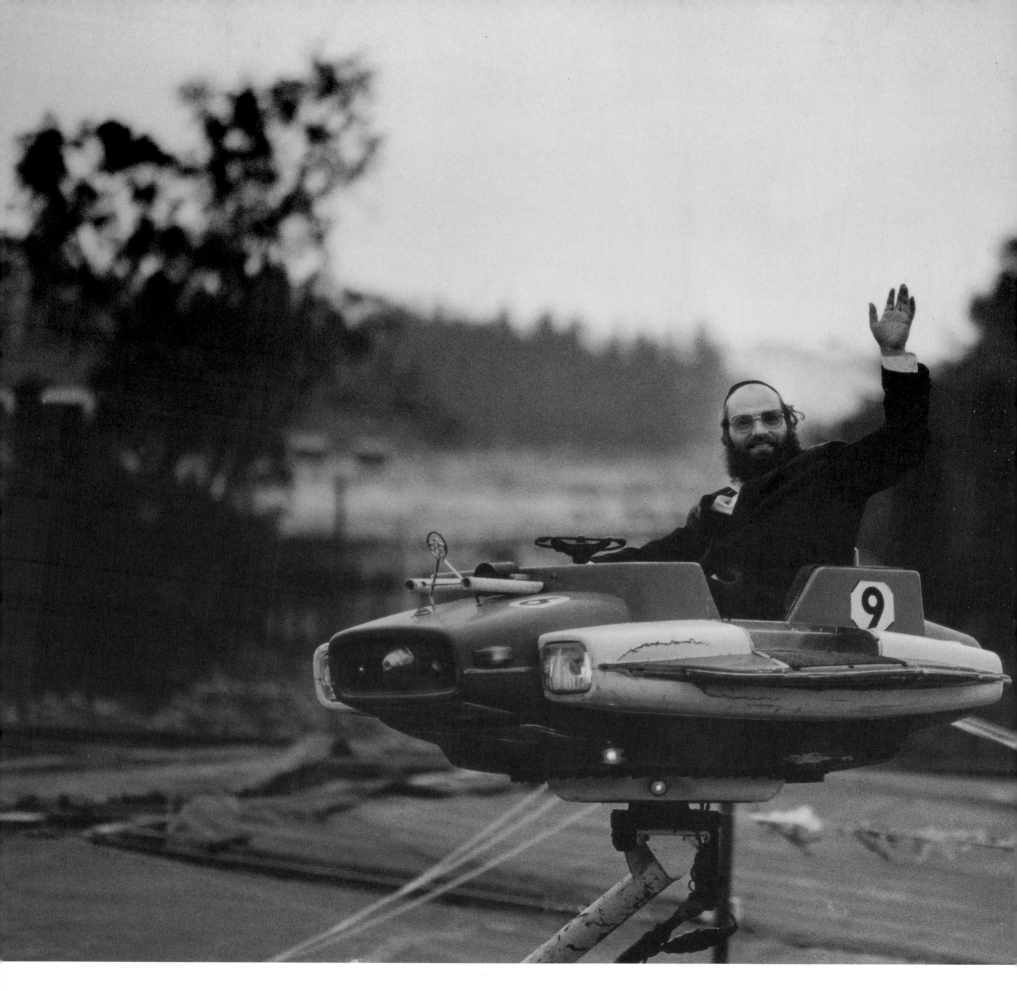

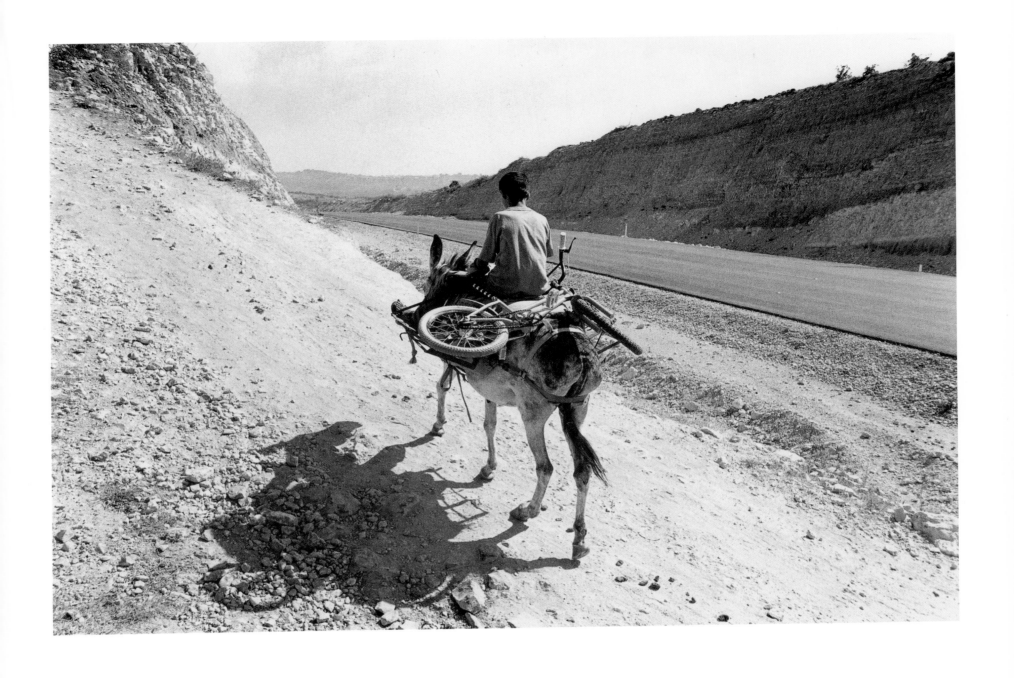

Jerusalem-Hebron Road, 1995 ,כביש ירושלים-חברון

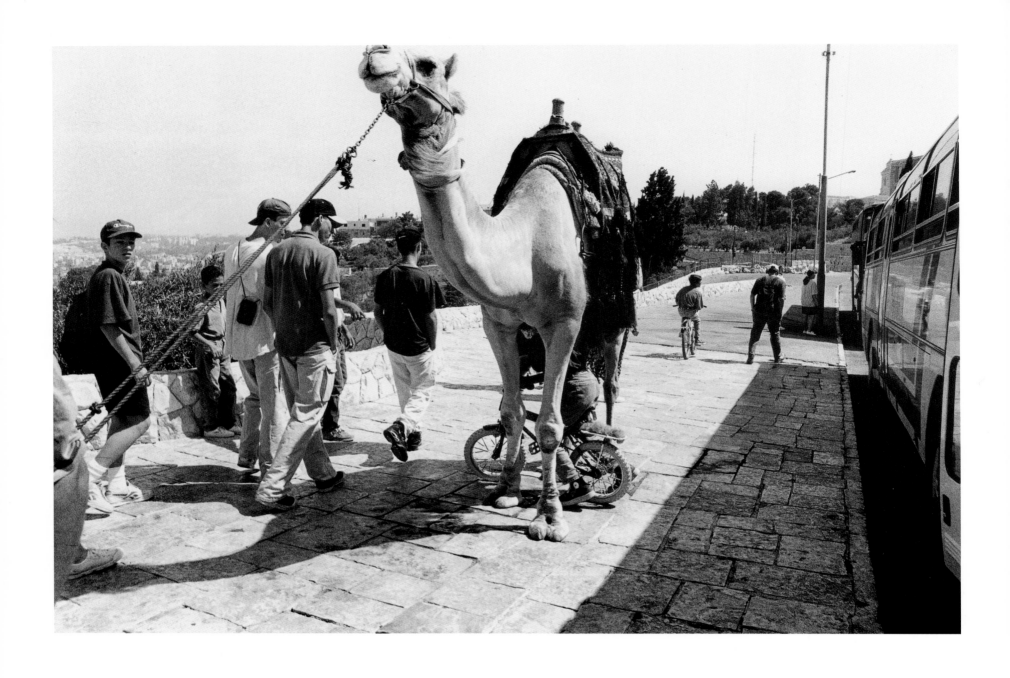

Jerusalem, 1994 ,ירושלים

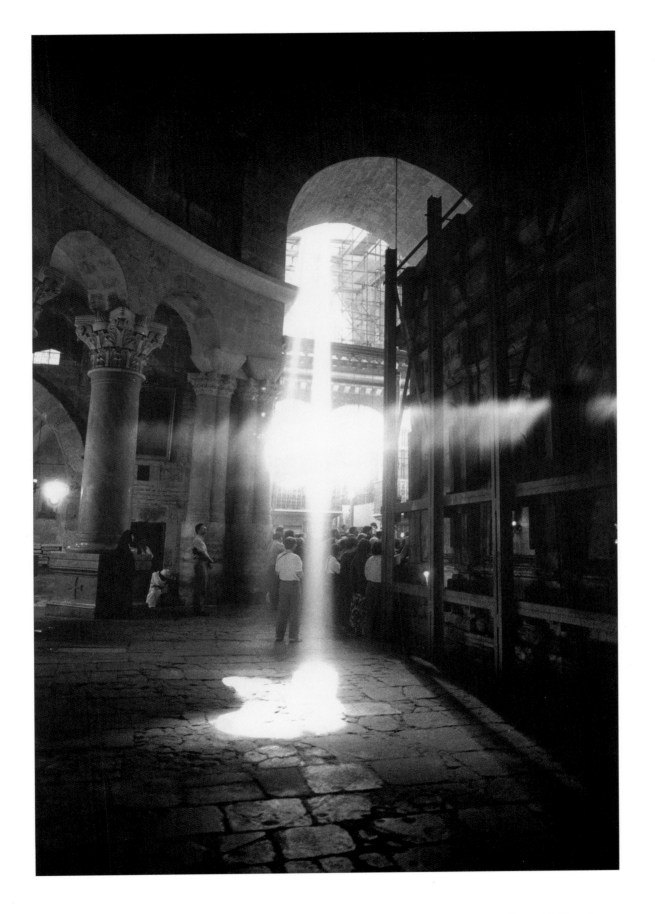

Jerusalem, 2000 ,ירושלים

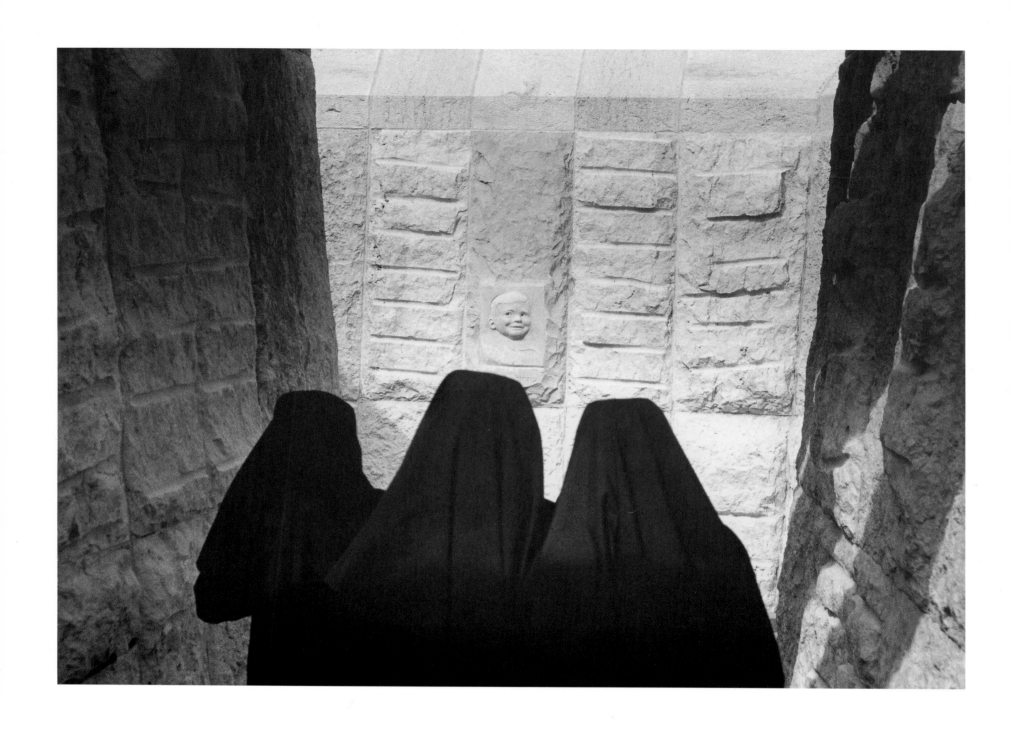

Yad Vashem, Jerusalem, 1995 ,יד ושם, ירושלים

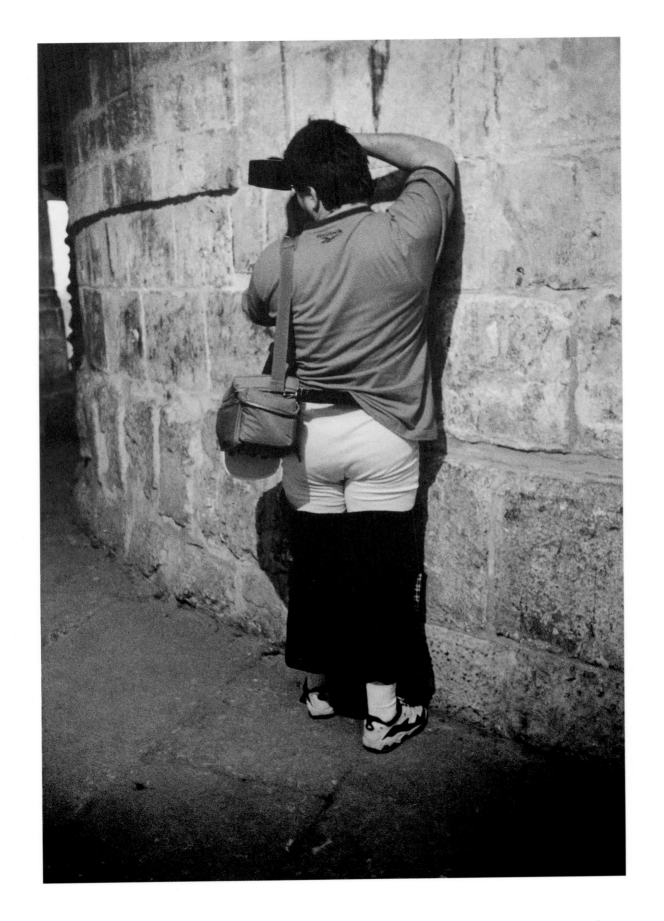

ירושלים, Jerusalem, 2000

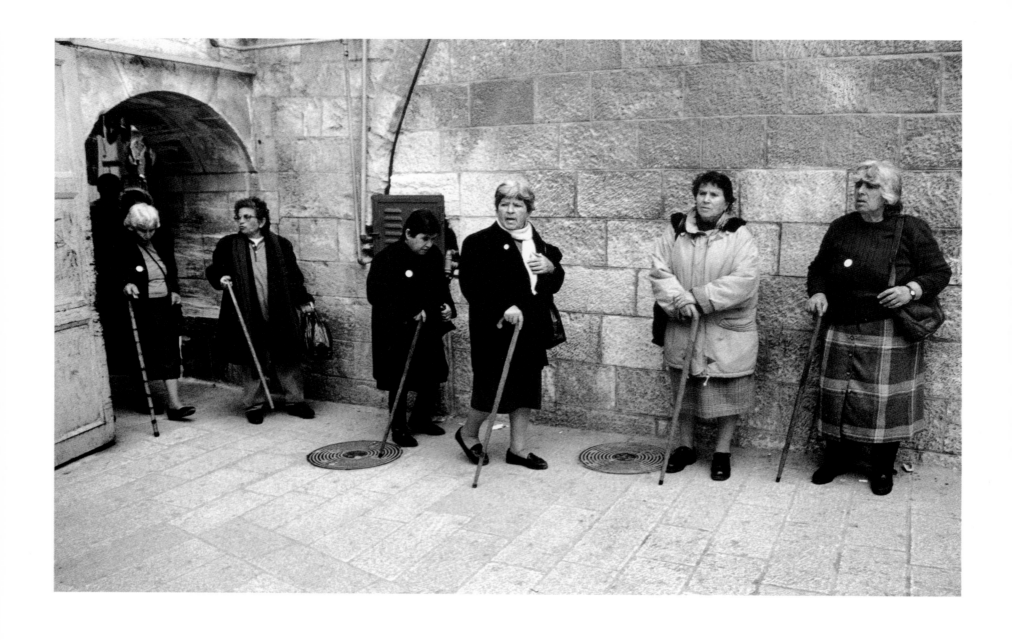

ירושלים, Jerusalem, 1999

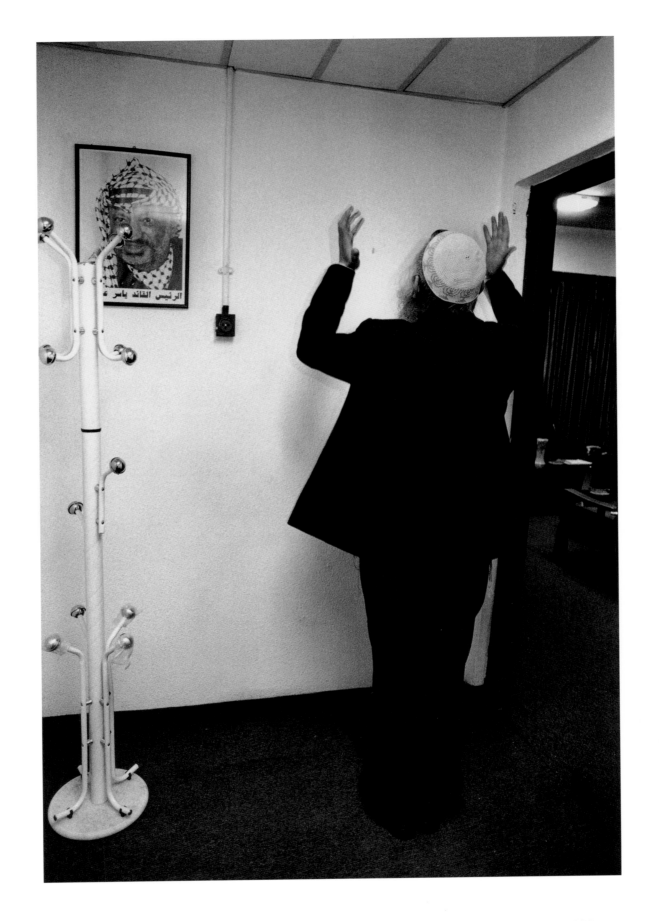

עזה, 1993 ,Gaza

122

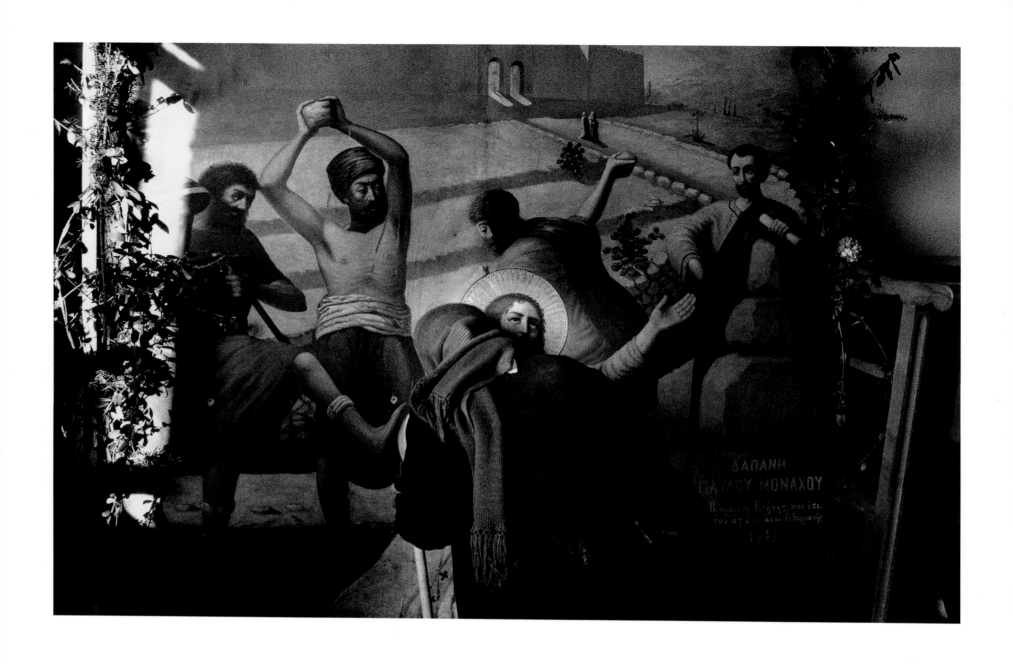

Jerusalem, 1996 ,ירושלים

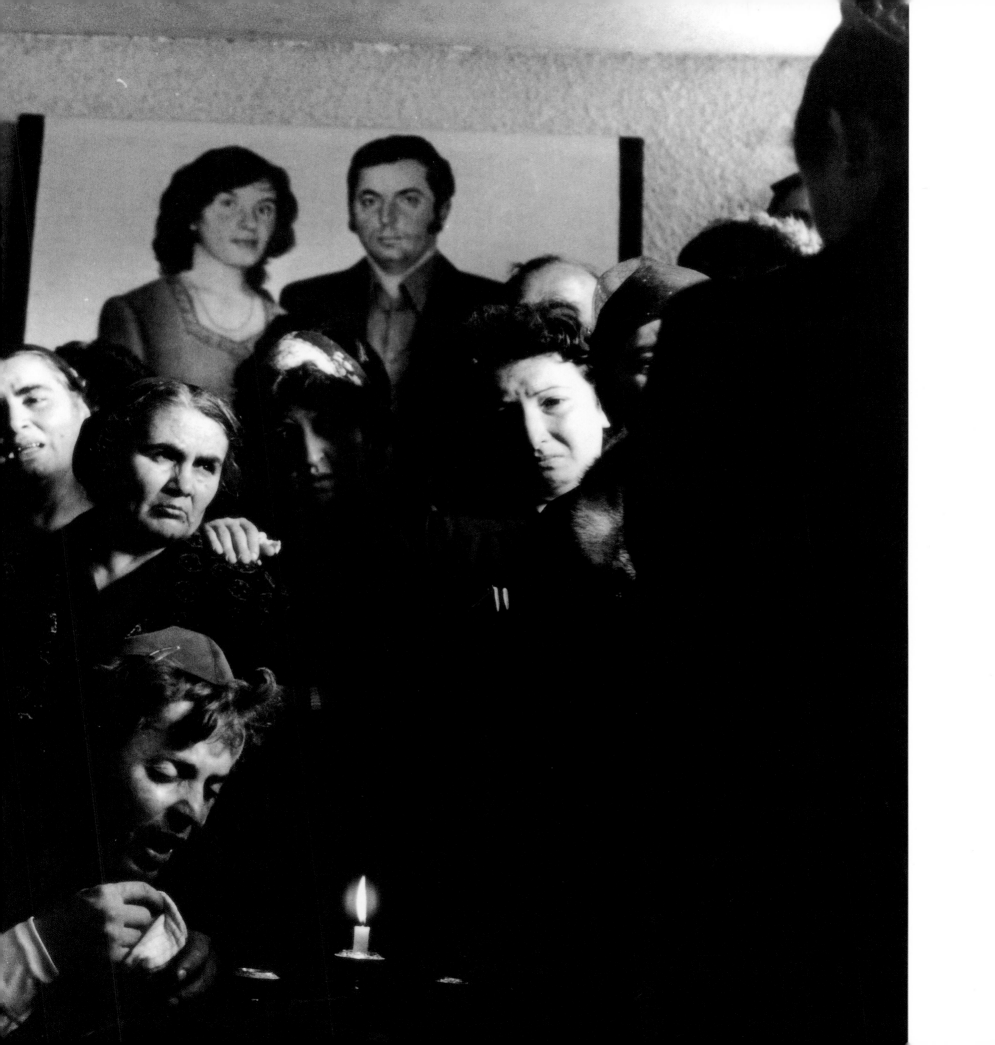

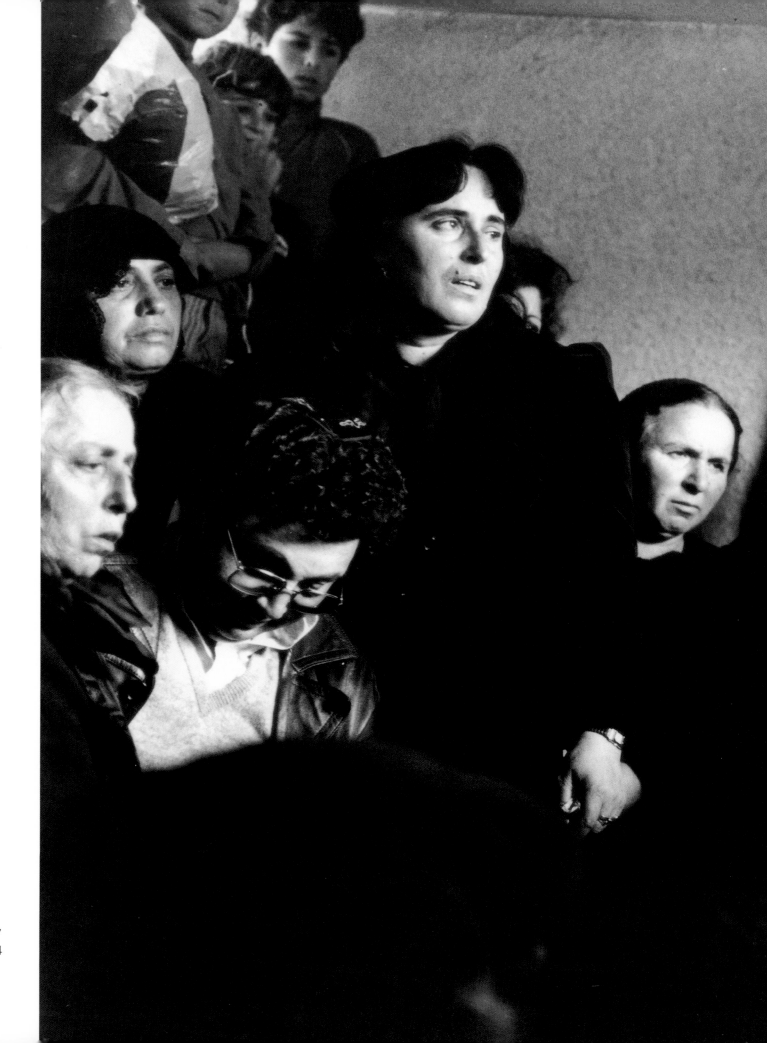

לוויה גרוזינית, רמלה, 1984
Georgean Funeral, Ramla, 1984

encountered sadness, gloom, and especially the disappointment of people who feel that the state has turned its back upon them because they are Arabs. We wanted to ask about extremism in the Arab community, but instead of answering, they led us to the unpaved streets, the rutted roads, the sewage running undisturbed through the center of the town, to overcrowded classrooms, to dilapidated schools, to unemployed people without hope. Perhaps they were naive. Maybe they had harbored false hopes. But the Israeli Arabs expected that their loyalty to the society in which they live would bring them closer to the desired threshold of equality. That didn't happen. They expressed justified resentment, and the Jews interpreted their sentiments as nationalist extremism.

We visited immigrant settlements in the southern part of the country. We met Ethiopian immigrants and immigrants from Russia, immigrants from the Muslim republics of Central Asia, and also veteran immigrants who felt that they were not yet fully Israeli. Every immigrant brought his language and customs with him from his country of origin. They were struggling with all their strength in their effort to integrate within an Israeli society that had lost some of its compassion for the newcomers and the weak. The Ethiopians were concentrated in homogeneous neighborhoods, and the other immigrants were also packed into closed neighborhoods – not always of their own free will. During the 1950s the state tried to strip away the burden of exile that the immigrants had brought with them, since it was foreign to the Israeli spirit. Now the norms have changed, and the immigrants are permitted to retain their customs until the first storm blows over.

Despite the sectorial tendency that throbbed within them, we heard the immigrants' yearning for acceptance as full members in Israeli society. The parents spoke Russian, Ethiopian, Bukharian, but the children felt that their new country was their home, and they spoke up-to-date Hebrew.

In most of the places that we visited we met Israelis who were pained by the inner tensions that split the society. Kibbutz members found it hard to accept the decline in their influence and wondered out loud whether the sacrifice they had been called upon to make in order to strengthen the state had been in vain, and veteran citizens spoke longingly of the times when they felt proud of being Israeli and walked about with their heads raised. Both groups felt that their life work was in danger. They were pervaded by anxiety lest the primary sense of a mission, which once united the inhabitants of the country, had been weakened. They were not the only ones to feel pain. Residents of the north were torn between their desire for peace with the neighboring countries and their uncertainty about the morning after. The settlers in the occupied territories felt that the earth upon which they had settled was trembling beneath their homes, and that they had been thrown into a new reality, the likes of which they had not known since the Six Day War. It was clear to both groups that decisions were imminent that would determine the fate of the country, and, in the same breath, would shape the image of Israeli society in an era of peace.

Wherever we went, Alex and I found people who wanted to share their personal pain with us. Every week we would present their stories to serve as testimony in preparation for the battle to determine the character of this society. Some of the stories had optimistic endings, and others ended pessimistically. But all the people who told their story were filled with the common hope that the day would come when things would be good for the people of this country. Don't they deserve that?

Introduction by Daniel Ben Simon

One day in the summer of 1999 we made a journalistic visit to Beth-Shean, I as the writer, and Alex as the photographer. Heavy heat oppressed the town, and the streets were almost deserted. In the Knesset elections that had taken place a month earlier, SHAS had won more than 40% of the local votes. While no one was looking, the town had become one of SHAS's major strongholds in Israel. *Pini Kabalo*, the Labor Party mayor, a secular man, was forced to change his ways in order to adapt to the new reality. He stopped driving on the Sabbath and began to attend synagogue. Suddenly, in the midst of a conversation about how Haredization (the growth of ultra-orthodoxy) was sinking roots in his town, he let out a little smile. Kabalo, finding it hard to restrain his enthusiasm, whispered to us that this year non-religious kindergartens and schools were not going to be closed, as they had been in earlier years. "It could be there is some hope in Beth-Shean," he announced as if revealing a deep secret.

A few hours later we reached the home of the Kabbalist *Yehiel Lasri*. Residents of the town advised us to visit him in order to learn the secret of the powerful penitential movement that had swept up so many residents of the town in the past few years. The Kabbalist was sitting on a chair at the entrance to his house, reading the Book of Psalms. Advanced age had dimmed his eyes and left him almost entirely deaf. His son, Asher, who serves as the head of the local Religious Council, shouted in his ear that two journalists had come to see him. "What should I do with them?" asked the father in Moroccan Arabic. "Bless them!" demanded the son.

The Kabbalist placed his hand on my head and blessed me with health and a long life. Then he placed his hand on Alex's head and blessed him. The son told us that we were fortunate to receive a blessing from the Kabbalist, for no other journalist before us had ever placed his head between his hands. "From everywhere in the country, tens of thousands of Jews come to receive the rabbi's blessing. It brings good fortune that will stay with you," he said.

At a certain stage Alex began to show signs of restlessness. We were near the end of the day, and he still hadn't taken The Picture. Where could he find the image that would reflect the cultural struggle that was taking place in Beth-Shean? How does one render a true picture of reality that would complement the text it was accompanying? Should we focus on the struggle to preserve secular education in the town? Should we focus on the deepening Haredization? Should we describe the revolutions that had taken place in the town's life by means of a picture of the venerable Kabbalist? Or perhaps we should concentrate on the worried, secular citizens who described the struggle in terms of warfare and told us that they wouldn't allow the ultra-orthodox to take over their lives?

What, then, was the correct picture? That dilemma accompanied us then and remains with us on our journalistic travels throughout the country. This is because the story of the new Israel is the story of a struggle that is still at its height. Some people would define it as an ideological struggle, and others would describe it as a cultural one. Yet others would say that it is an existential conflict that has changed the character of Israel during the past decades from an apparently harmonious society to a divide and scarred society.

Wherever we turned, we discovered rifts. We visited Kiryat Gat and found a city that symbolizes the demographic change that has taken place in Israel since the arrival of a million immigrants from the former Soviet Union. We came to cover the mayoral elections and encountered a harsh struggle that pitted new immigrants against veterans. Those who came from the former Soviet Union and those who had come from North Africa in the 1950s prepared for the elections as if they were a life and death battle. The veterans told us that it had taken them years to establish themselves, and now, in one fell swoop, the new immigrants had organized in order to steal the fruits of their labors. The newcomers told, in astonishment, about the veterans' blazing hostility against them. The veterans had organized in support of their candidate for mayor, and the newcomers had organized around a candidate of their own. The veterans interpreted this as ingratitude, and the newcomers regarded it as a democratic right that could not be more natural. At the last minute a compromise was reached to prevent a confrontation between the two groups: the new immigrants' candidate agreed to drop out of the race in return for a share in local power. "If I hadn't done it, there would have been bloodshed," said *Alex Wechsler*, the new immigrant who had planned to take over the municipal government.

We visited *Taibe*, the largest Arab city in Israel, and we found angry and alienated Arab citizens. We found the same thing in Nazareth and in *Kfar-Kasem*. We

Foreword by Alex Levac

The culture of this country is so extraverted, the street is so open, communicative, and laden with social symbols – and yet there are almost no photographers who simply walk about and photograph daily life. All of them want to photograph history, the world leaders, the stars and the fireworks. Street photography and documentary photography have long since become unfashionable. "Your work is passé," I was told a few years ago by a young photography curator in an important museum. "People don't take pictures that way anymore," she said. I thought to myself that as long as human beings aren't passé, then direct, conventional, classical street photography is still valid.

In my view the direct photography of reality conveys a basic statement that cannot be disagreed with: the perpetuation of the passing moment, documenting what exists before it passes from the world. From this starting point, the photographer is invited to go out into the street and photograph what his eyes see. The theater of the street performs for us twenty-four hours a day. The photographer must decipher it and freeze small parts of it according to his own considerations, return to the darkroom, develop the film, and print pictures in a process of reconstructing reality. Indeed he creates his world anew as he chooses, combining picture with picture to put together a vast picture of reality as seen through the photographer's eyes.

Only rarely do street pictures contain a historical milestone, like the picture taken by *Eddie Adams* in 1969, in which we see a Vietnamese general executing a Vietcong fighter with a pistol shot in mid-day on a street in Saigon. That is a unique document of a shocking moment in unbearable reality, and within it seethes the evil, injustice, disgust, and contempt for human life that is in all war. In that photograph, which won the Pulitzer Prize, there is no aesthetic and no composition, but its documentary and symbolic power is boundless.

There are other marvelous street photographs, like those of *Joseph Kodolka*, a Czech photographer who spent a long time photographing the life of the Gypsies in Europe. His pictures, with their rare beauty, their aesthetic perfection, and with the events that they document bring the spectator to another enchanted, almost legendary world. However, it is not a fairytale but reality, and therein lies the photographs' strength. This is not a vision, the fruit of the photographer's imagination, produced in a studio with a computer program or some other technological manipulation. These are pictures of things that are really happening.

The pictures in this volume are not photographs of historical events. They are not concentrated around a specific subject. The subjects are anonymous people engaged in banal incidents, all of whom together reflect the anthropological face of our society. This is the documentation of "non-events," quotidian street pictures of moments snatched from the uninterrupted stream of life. Because they were taken quickly, without preparation, sometimes the duration of the event is identical with the length of its exposure to the camera. Hence many of the pictures are imperfect with respect to composition, they are not necessarily aesthetic – but all of them say something authentic about our time and place.

I did not make a systematic and organized effort to photograph Israeli society. By nature I am not an organized person, and my way of looking at things is instinctive. My desire to photograph is compulsive: when I see something that arouses me, I have to photograph it. I can't do otherwise. When picture-worthy events take place before my eyes, and for some reason I am unable to photograph them, they stare at me and pursue me for days on end. All of my adult life I have been wandering the streets, like a hunter in the field, constantly seeking the next photograph. I believe that the more exhausting the process of wandering and search may be, the better my luck will be. I know that luck plays a central role in the inexhaustible and apparently boring flow of life through which I pass.

I don't take a lot of pictures. I see things as though through a sieve. The choice of a specific moment is mine. I enjoy photography. It forces me to look at marginal things as well. There are wonderful situations where the photographic potential is enormous, and pictures truly leap to the eye, but most pictures are obtained by hard and patient work. I would like all my pictures to be great, full of historical, social, and anthropological meaning, but very few reach that level. Many times the result is simply anecdotal, visual amusements, the juxtaposition of bits of reality that usually are not connected to one another. Some are complex, others are simple, but they always tell something about us.

Documentary photography has another virtue: it expresses the individual viewpoint of the photographer. Setting up a camera on a street corner to photograph whatever passes by every five seconds at random is not enough. Something has to come from the photographer's soul, his brain, his personality, his private image of the world. No two photographers will see the same event in the same way. This book, too, reflects my own private angle of vision.

Our Country

Photography:
Alex Levac
Design and Production:
Hava Mordohovich

Production Chief:
Arik Ben-Shalom
Scanning and Plates:
Shekef-Or Ltd.
Printing:
Meiri Print Ltd., Holon

The book's title and some of the photographs - by courtesy of "Ha'Aretz"
Translated from the Hebrew by Jeffrey M. Green

All the photographs in this book are original.

ISBN 965-05-1052-4

ALEX LEVAC
PHOTOGRAPHY

OUR
COUNTRY

MOD Publishing House / Carmel · Jerusalem

To Sherry

ALEX LEVAC

P H O T O G R A P H Y